はじめに

「宮沢賢治のお話に科学の言葉がたくさん出てくるんだけど、それを実験で見せる先生役をできる？」中学校の頃からの同級生からそんな依頼がきました。（宮沢賢治？「アメニモマケズ」だったかな？ 馴染みがないけど有名な作品が多いから読めばわかるかな）とタカをくくって（？）「大丈夫。やれるよ」と引き受けたのが、私と賢治との出会いになりました。ところが、代表作「銀河鉄道の夜」を読んでもよく分からず、面白くもなかったのです。それが、作品に出てくる科学的な表現を実験で試していくうちに、潜んでいるものがどんどんイメージできるようになり、すっかり賢治の世界に引き込まれてしまいました。

そうやって始めた「実験で楽しむ・銀河鉄道の夜」講座は、多くの方々に共感して頂くことが出来、新しい実験を加えながら回を重ねることになりました。講座にはシナリオを作成して臨んでいるのですが、「静岡自然を学ぶ会」での講座の後に、会代表の池上理恵さんが素晴らしい記録（文献 1）にまとめ直して下さいました。更に「東京教研音楽部会」での講座の際に「「銀河鉄道の夜」に出てくる歌を歌いたい」というご希望を頂き、この準備を通じて「賢治と音楽」という新しい世界が見えてきました。そこでこれらのすべてを盛り込んで、本としてまとめてみることにしました。

ここには「銀河鉄道の夜」に登場する科学的表現の元となる実験、音楽をめぐる話の他に「銀河鉄道の夜・第 4 次稿」（文献 2）の全文と第 1～3 次稿（文献 3）からの引用を加えました。実験と音楽は、付属の QR コードをスマートフォン等の QR コードリーダーでコードを読み取ることで視聴して頂けるようにしました。また金沢在住の画家 HISA さん、細川理衣さん、「静岡自然を学ぶ会」の勝山陽子さんが素敵な挿絵を … との関連については私の推測が多く含まれ … 音楽を楽しんで頂きながら、賢治の世界を …

目　次

第１章　実験で楽しむ「銀河鉄道の夜」（講座記録）

第 2 章　「銀河鉄道の夜」の実験

第 3 章　「銀河鉄道の夜」と音楽　52

★　「銀河鉄道の夜」（第 4 次稿・青空文庫）

第１章　実験で楽しむ「銀河鉄道の夜」

❶　地球・太陽・月・銀河系をイメージしてみよう

宮沢賢治は、宇宙、銀河そして地球をその作品にたくさん描いています。「銀河鉄道の夜」はジョバンニとカムパネルラという二人の少年が、ほんとうの幸いを求めて銀河に沿った宇宙空間を旅するお話ですが、賢治は弟の清六さんにも「私達は毎日地球という乗物に乗っていつも銀河の中を旅行しているのだ」と語っていたといいます。（文献 4）更には「われらに要るものは銀河を包む透明な意志…」（『農民芸術概論綱要』）とも記しています。

では、銀河に沿って宇宙空間を進んでいく銀河鉄道をどうイメージするか。モデルを使って、大きなものや小さなものをイメージすることを賢治は授業でやっていたようで、農民対象に賢治が始めた私塾である羅須（らす）地人協会で使っていた、そんな手書き教材（右）が残っています。そこには直径 1.5cm の球を 1600 万

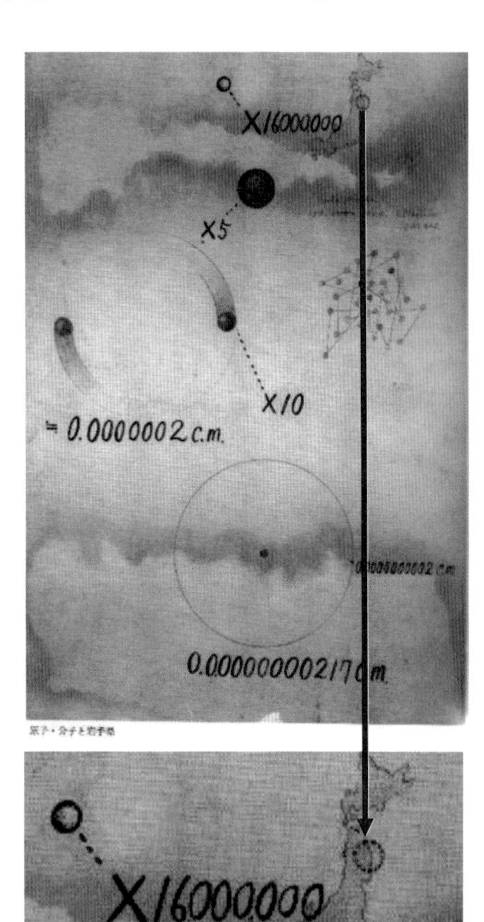

岩手県の大きさ、水素分子の大きさをイメージする

倍すると岩手県の大きさになり、逆に1600万分の1にすると水素分子の大きさになるといったことが記されています。（文献5）

そこでお話を始めるにあたり、私達も地球や太陽の模型を使いながら、宇宙の時間と空間の中での銀河系、そして私達人間という存在をイメージしてみたいと思います。地球の直径は約1万3千km。1千万分の1にすると直径約1.3mの球になります。このサイズの模型で考えていきましょう。（文献6）

直径1.3mの地球では、世界で一番高い山エベレストもたった1mmほどです。空気（地上の千分の1くらいの濃度まで）があるのはその5倍ですから、5mm。とっても薄っぺらいですね。それより上は空気がとても薄く、光が散乱しないため、空は真っ暗です。空気のない空が真っ暗なことを、賢治は別の作品に描いています。

そらの澄明すべてのごみはみな洗はれて
ひかりはすこしもとまらない
だからあんなにまつくらだ
太陽がくらくらまはつてゐるにもかゝはらず
おれは数しれぬほしのまたたきを見る
ことにもしろいマヂエラン星雲

（心象スケッチ『春と修羅』より「真空溶媒」）

賢治の作品「真空溶媒」の一節ですが、その時代にまるで宇宙船に乗っているかのように空気のない状況を想像して、こういう表現で描くってすごいですね。

地球を離れて宇宙のイメージを続けましょう。月の直径は、地球の約4分の1です。さきほどの直径約1.3mの地球の模型（1千万分の1）と比べると約30cm。このサイズでは月は地球からどのくらい離れているでしょう？ 答えは38m です。太陽は15㎞先の直径140m の球になってしまいイメージがしづらくなります。そこで太陽を直径50cm の球に縮めてみましょう。約30億分の1のサイズです。この太陽に対して地球はどれくらいの大きさで、どれくらい太陽から離れているでしょうか？

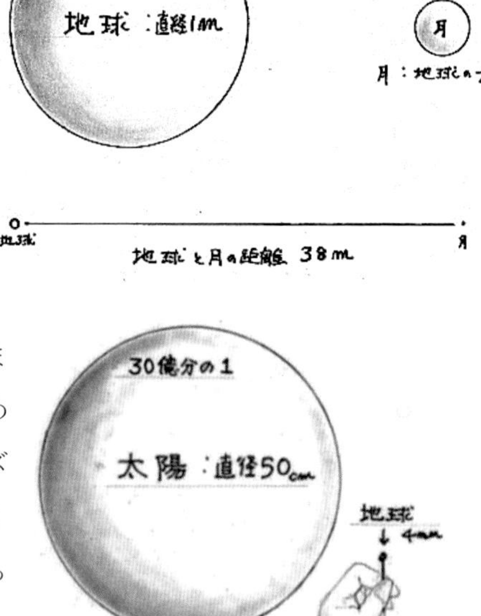

直径 4mm の地球に対して太陽は直径50cm で 50m 先、月は 1mm で 12.7cm 先、ケンタウルス座α星は1.3万km先にある

答えは、直径 50 cmの太陽に対して、地球の大きさは直径 4㎜。マチ針の頭程度の大きさです。そして太陽から 50m 離れたところにあります。月は直径1㎜ の大きさで4㎜の地球から12.7cm 離れています。巻き尺を伸ばして太陽と地球、月の模型を置き、大きさと距離を実感してみましょう。

太陽系から最も近い恒星はケンタウルス座のα（アルファ）星で地球からの距離は4.3光年。光の速さで4.3年かかるところにあります。賢治の生きていた頃にそれが分かりました。このマチ針大の地球から1.3万㎞も離れています。では私たちが住んでいる銀河系はどれくらいの大きさがあるのか？「銀河鉄道の夜」ではジョバンニ達の先生はこう話します。

そんならこのレンズの大きさがどれ位あるかまたその中のさまざまの星についてはもう時間ですからこの次の理科の時間にお話します。（p 62 ④）

　このまま答えが出てこないので、先生に代わって答えますが、太陽系が含まれる銀河系は直径 10 万光年。地球は銀河の中心から約 2.8 万光年離れていて、下の図のようになります。ジョバンニ達は銀河鉄道に乗って、北十字の手前の銀河ステーションから南十字のケンタウルス座 α 星付近まで、直線にして約 1400 光年（地球から太陽までの 1 億倍）の旅をします。

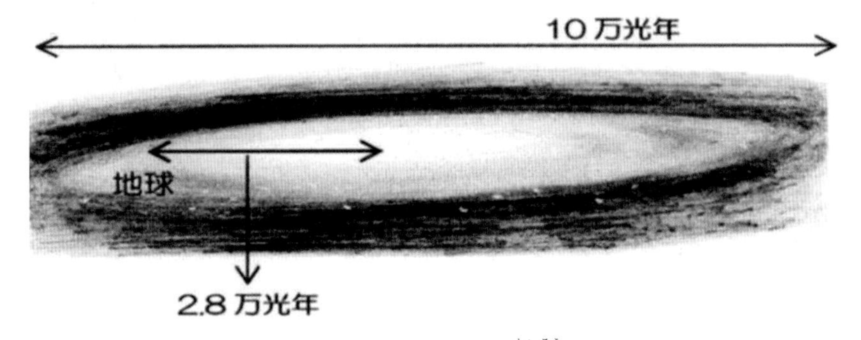

　賢治の詩「青森挽歌」に、「きしやは銀河系の玲瓏（れいろう）レンズ　巨きな水素のりんごのなかをかけてゐる」という一節があります。銀河鉄道はこの巨大な銀河のレンズの中を行くのです。レンズはりんごであり宇宙でもある。100 年も前の授業とは思えませんね。素敵な授業ですね！

時間についても宇宙の始まりからのスケールでイメージしてみましょう。「銀河鉄道の夜」では、天の川のプリオシン海岸でクルミを発掘するシーンが出てきます。(本書P22参照) およそ120万年前のクルミの化石で、その下からは貝殻の化石がでてきます。発掘は賢治の大きな楽しみでもあったようですが、発掘にはどんな意味が込められているのでしょうか？ それを、本物の化石を使って探っていきましょう。これは三葉虫の化石です。立体的で眼の存在がはっきりわかる貴重品。ずっしりと重いですが、建築家の小野木裕さんから「授業で使って下さるなら差し上げます。」と譲って頂いたものです。これを使って考えていきましょう。小野木さんは子ども達と化石を使って次のようなやりとりをされていたそうです。

「君達は何歳？ 8歳？ この化石はね。3億5千万歳だよ。どうする？」そのお話を伺って、ふと次の様なことが頭に浮かびました。

（この化石は3億5千万年前に埋もれて石になったけど、我々の祖先はその頃絶対生きていた。だから我々の方が長生きなんじゃないかな？）

そのことを小野木さんにお話ししたところ、大変驚かれ「それ授業で話されますか？ ぜひ、この化石を使って下さい。もっと凄いのもあります。マルレヤといって5億年前のものです。こちらも差し上げます。」との言葉。そうやって貴重

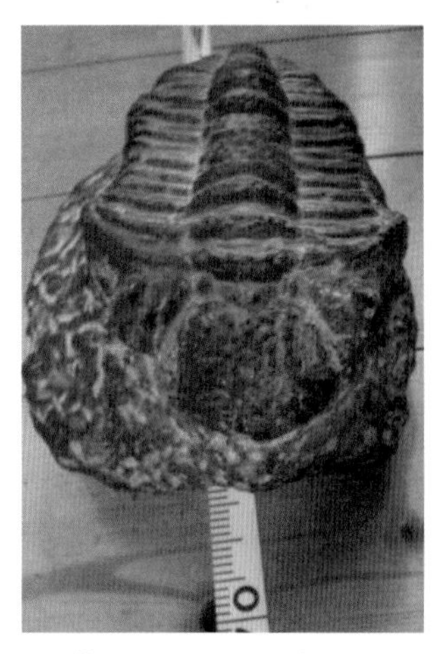
三葉虫化石（3.5億年前）
眼の構造も確認できる

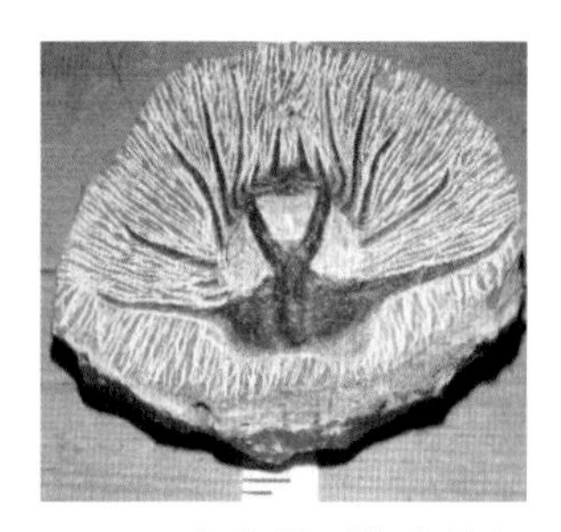
マルレヤ化石（約5億年前）バージェス頁岩動物群の生物

な２つの化石を頂きました。子供達を対象に、この化石を使っておこなった講座（p42 に紹介した講座）の様子をひとつ紹介します。小野木さんに習って次の様に進めてみました。S は私。C は子供達です。

S：これは３億５千万年前の化石だよ。
　君は何歳？化石とどっちが長生き？
C：10 歳！化石のほうがずっと長生き！！
S：じゃ、君は生まれる前はどこにいたの？
C：ママのお腹の中？
S：ママは生まれる前、どこにいたの？
C：おばあちゃんのお腹の中！
S：じゃぁ、おばあちゃんは、生まれる前、
　どこにいたの？
C：おばあちゃんのママのお腹の中かな？
S：そうやって、ずっと昔にいくと化石が
　生きていた３億５千万年前になる？
C：なる？かな…。
S：そうだよね。その昔、君達のご先祖は
　この三葉虫と一緒に生きていた。だけ
　ど、この三葉虫はそこで土に埋もれて
　生きるのを止め、化石になっちゃった。でも君達のご先祖はそこから生き続け、君達につながった。だから君達の方が三葉虫より３億５千万年も長生きなんだ。巻き尺3.5m のところに三葉虫を置いて、そこから歩いてきて。
S：この化石はもっとすごくて５億年前のものだよ。これも巻き尺 5m のところに置いてみよう。マルレヤという、海の中の生き物。これが生きていた頃、君達の先祖は生きていた？
C：いた！

S：そうだよね。そうやって、どんどん遡（さかのぼ）っていくと、必ず生命の始まりにたどり着く。それは 38 億年前の海の中だといわれている。巻き尺で 38m のところ。そこまで歩いてみよう。そこからすべての命は始まった。君達が今日食べたお米も、お肉もお魚も、生き物はみんな 38 億歳なんだ。138 億年前の宇宙の始まりもその 3 倍ちょっと。私達って結構すごいね。ちっぽけでないんだ。地球の始まりは 46 億年前。隕石が衝突して集まり、熱でドロドロに融けていた。そして重い鉄は中心に集まり、その周りを岩石の層＝マントル層が取り囲むようになった。マントのように保温するからマントル層。46 億年前の熱を今でも保ち続けるって凄いね。熱く融けた鉄でできている地球の中心を、テルミット反応（約 3 千℃になる）でイメージしてみよう。テルミット反応は、酸化しやすいアルミニウムで砂鉄などから酸素を奪い取って金属を取り出すことができる。その時にすごい熱がでるんだ。地球の中心でテルミット反応が起きているわけではないけれど、高温で融けた鉄を簡単に作り出せるので、地球の中心の状態をイメージするにはとてもいいかなと思う。私達はその熱い鉄を囲むマントル層のもっと表面の、地殻という薄い薄い皮の上に住んでいるんだ。（以上、p42 に紹介した講座の様子）

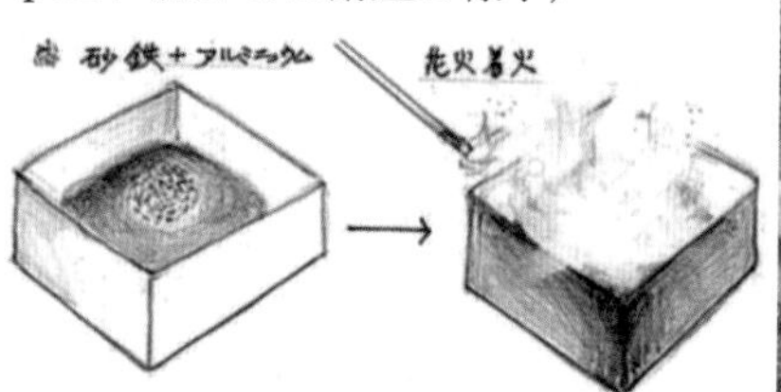

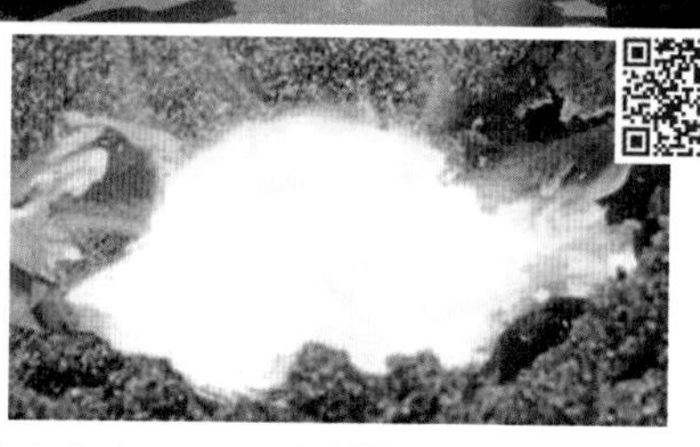

砂鉄とアルミ粉末を混合し花火で点火するとアルミが砂鉄から酸素などを奪い取る。その反応熱で融けた鉄が中心に集まってくる。テルミット反応で鉄を融かし、高温の鉄でできている地球内部をイメージする

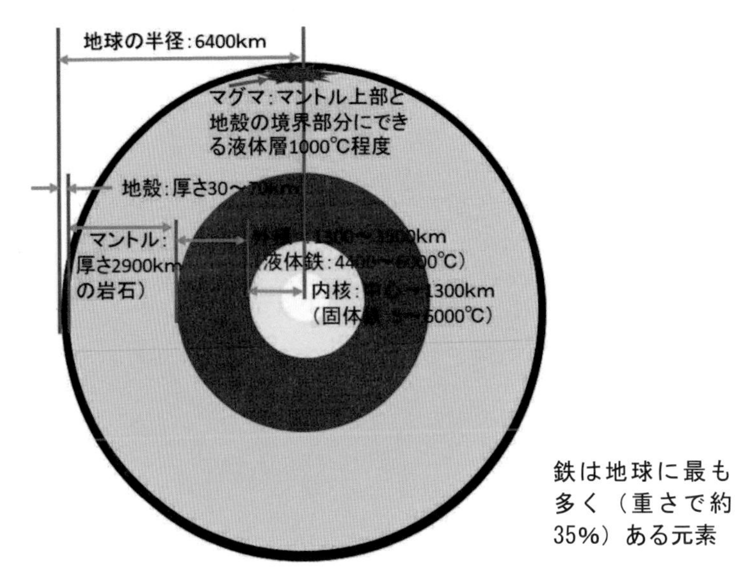

鉄は地球に最も多く（重さで約35%）ある元素

地球が始まった昔から、私達を作る原子は地球にあった。化石の発掘には、今に至るまでの生命の道筋を明らかにするという学問的な意味があり、それが「銀河鉄道の夜」にも盛り込まれているように思えます。生命の連鎖については、『春と修羅』の「序文」等にも描いているようです。

わたくしという現象は　　仮定された有機交流電燈の
ひとつの青い照明です　　（あらゆる透明な幽霊の複合体）
風景やみんなといっしょに　せわしくせわしく明滅しながら
いかにもたしかにともりつづける　因果交流電燈の
ひとつの青い照明です
（ひかりはたもち　その電燈は失われ）…
（すべてわたくしと明滅し　みんなが同時に感ずるもの）
ここまでたもちつづけられた　　かげとひかりのひとくさりづつ
そのとおりの心象スケッチです……
（すべてがわたくしの中のみんなであるように
みんなのおのおののなかのすべてですから）……（『春と修羅』序文）

「有機交流電燈」、そして「かげとひかりのひとくさり」などの意味は？

下図のLEDのように、白色光は虹のような光のスペクトルに分けられます。そのうち、賢治は自分自身を屈折率もエネルギーも大きい青い光（照明）に例えているようです。生き物は太陽光を有機物に変えて蓄えます。プリオシン海岸のクルミには120万年前、三葉虫には3億5千万年前の光が蓄えられているのです。「億万の蛍烏賊（ほたるいか）の火を一ぺんに化石させて」（p70 ⑤）の火は、蛍烏賊（ほたるいか）が生きていた時の太陽光が蛍烏賊（ほたるいか）に蓄えられたもの。「ひかりはたもち　その電燈は失われ…」。宇宙の始まりである138億年前のビッグバンに連なるその時々の太陽光は、その時々の生き物の中に蓄えられている。自分達はその光の連なりの中のひとくさり。

こういう大きな時間と空間軸の中にいる自分とその位置をイメージして生きることの大切さが、これらの表現に込められているのではないでしょうか？

生命の連鎖を、分光シートを通して見たテープLED（赤緑青の点光源の連鎖）でイメージする。（写真中段）。下段は曾祖父、祖父、父、私、息子、孫の6世代150年の写真。すべての生命は光とかげのひとくさりであり一瞬の明滅であるが、すべて原始の微生物誕生に連なる38億歳の命でもある。

さあここから、講座の様子を紹介しながら「銀河鉄道の夜」の旅を始めましょう。

銀河鉄道は天の川に沿って銀河ステーション→はくちょう座の北十字星→南十字星を銀河の中心に向かって走ります。その車窓から見える様々な情景を、賢治が大好きだった実験などでイメージしながら銀河鉄道の旅をたどって行きましょう。お話は次の様な教室でのシーンから始まります。

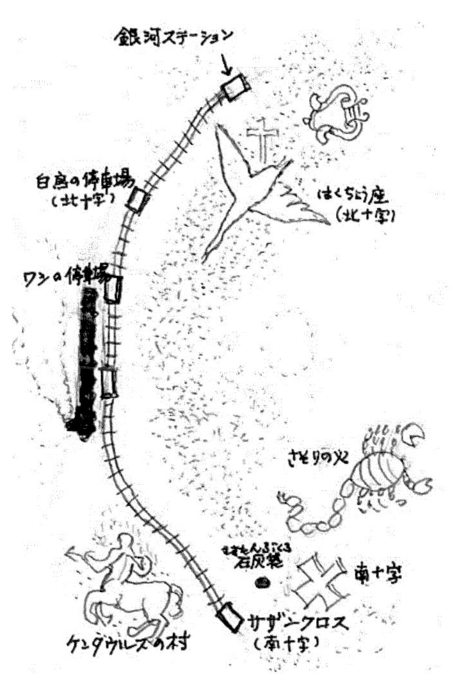

「銀河鉄道」の進路

❷　午后の授業

「ではみなさんは、そういうふうに川だと云われたり、乳の流れたあとだと云われたりしていたこのぼんやりと白いものがほんとうは何かご承知ですか。」先生は、黒板に吊した大きな黒い星座の図の、上から下へ白くけぶった銀河帯のようなところを指しながら、みんなに問をかけました。（p60①）

ですからもしもこの天の川がほんとうに川だと考えるなら、その一つ一つの小さな星はみんなその川のそこの砂や砂利の粒にもあたるわけです。またこれを巨きな乳の流れと考えるならもっと天の川とよく似ています。つまりその星はみな、乳のなかにまるで細かにうかんでいる脂油の球にもあたるのです。そんなら何がその川の水にあたるかと云いますと、それは真空という光をある速さで伝えるもので、太陽や地球もやっぱりそのなかに浮んでいるのです（P61②）

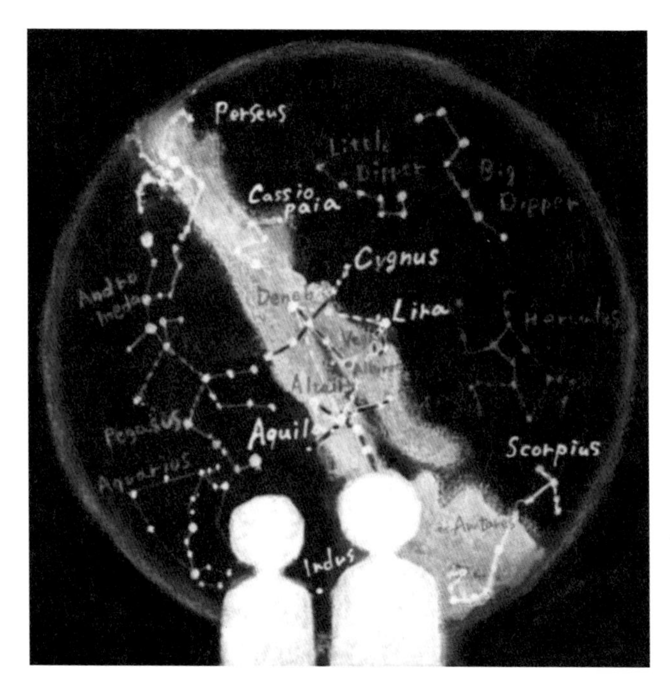

教室で銀河の図を眺めるジョバンニとカムパネルラ

この天の川の表現を実験で見てみましょう。下の写真の試験管の下から光がきています。ここに水を入れると、光っているのが少しみえますか？ ではここに脂油の球、ミルクを入れてみましょう。光が良く見えるようになりましたね。これは微小な粒子によって光が散乱され、光の通路が光って見えるチンダル現象というものです。この光る粒一つ一つが真空に浮かぶ星で、それが集まると川のように見えると賢治は言っているのです。賢治はチンダル現象が大好きでたくさんの作品に描いています。

LED 光源付試験管に滴下した牛乳でチンダル現象を観る　p43−44

…もしも楽器がなかったら
いゝかおまへはおれの弟子なのだ
ちからのかぎり
そらいっぱいの光でできた
パイプオルガンを弾くがいゝ…
「告別」(春と修羅　第2集)

自然界のチンダル現象
雲の切れ間からの光

ここでは雲の切れ間から差す光をパイプオルガンに例えているのです。
さて銀河系は下図のような楕円形をしていて、私たちはその中に住んでいます。太陽が図の位置で、その周りを地球が回っています。天の川がこんな形にぼうっと白く見える理由について賢治はこんな風に書いています。
こっち(図の楕円の上下の方向)の方はレンズが薄いのでわずかの光る粒即ち星しか見えないのでしょう。こっちやこっち(図の左右の方向)の方はガラスが厚いので、光る粒即ち星がたくさん見えその遠いのはぼうっと白く見えるというこれがつまり今日の銀河の説なのです。(p62 ③)

なぜ天の川が見えるのか?

これを100均ショップで買った光のイルミネーション(45ページ参照)で見てみましょう。光ファイバーを金網に通し、金網を下げると光ファイバーの先端が広がって、散らばった光が点々になって見えます。この楕円の薄い方を見ている感じです。これを横から見ると、厚い方を見ている感じになり、光の点

が連なって星のラインのように見えます。これが天の川として見えていると言っているのです。(本書 45 ページ参照)

光のイルミネーションで
天の川をイメージする

「銀河鉄道の夜」のストーリーをもう少し紹介します。主人公のジョバンニの家は貧しく、お父さんは北の海の漁師です。獲ってはいけないラッコをつかまえて牢屋に入っているという噂。ジョバンニは学校でもひとりぼっち。カムパネルラと仲良くしたいけど、いじめっ子のザネリはジョバンニに「もうすぐ(お父さんが獲った)ラッコの上着が来るよ」などと、言って欲しくないことを言ってくる。その仲間の中にカムパネルラの姿。思わずその場を逃げ出して、夜の村はずれで天の川を見ながら(カムパネルラと一緒に旅ができたらいいなぁ。)そう考えているジョバンニ…。その願いが光と共に突然かないます。

するとどこかで、ふしぎな声が、銀河ステーション、銀河ステーションと云う声がしたと思うといきなり眼の前が、ぱっと明るくなって、まるで億万の蛍烏賊の火を一ぺんに化石させて、そら中に沈めたという工合、またダイアモンド会社で、ねだんがやすくならないために、わざと穫れないふりをして、かくして置いた金剛石を、誰かがいきなりひっくりかえして、ばら撒いたという風に、眼の前がさあっと明るくなって、ジョバンニは、思わず何べんも眼を擦ってしまいました。気がついてみると、さっきから、ごとごとごとごと、ジョバンニの乗っている小さな列車が走りつづけていたのでした。　(p 70 ⑤)

ホタルイカは富山県が有名ですね。賢治もどこかでみたのでしょうか？今回はその光をウミホタルの発光で見てみましょう。すり鉢に乾燥ウミホタルと水を入れ、部屋の電気を消してすり潰します。

ボオッと光りだすのを見て、参加者「ああ、見えた〜〜〜」「おお〜〜〜！」
「見えましたか？ もう一度やりますよ。」参加者：「見えた〜」
先（p12）に紹介したように、このホタルイカ（ウミホタル）の光もその時の太陽（恒星）光が蓄えられたもので、賢治は銀河の星を、ホタルイカを化石させて空にちりばめた空のダイヤモンドという表現で描いているのです。（p70⑤）

すり鉢の中で発光するウミホタル

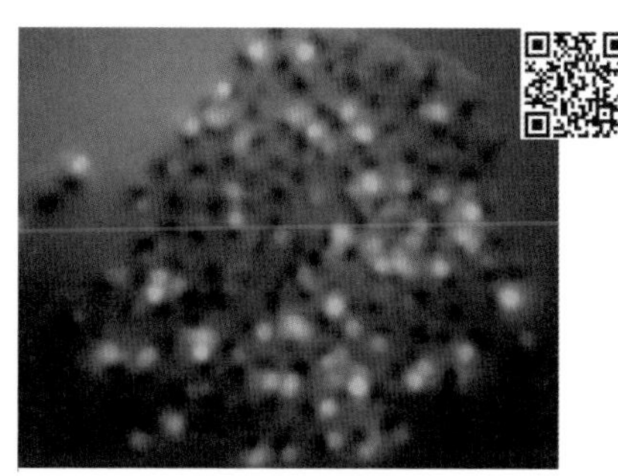

ウミホタルの発光

❸ カムパネルラのつぶやき

いつのまにか光と共に銀河鉄道に乗ったジョバンニですが、そこにはカムパネルラの姿がありました。ところがカムパネルラは少し顔いろが青ざめていて、ぽつんとこんなことをつぶやきます。

「おっかさんは、ぼくをゆるして下さるだろうか。」…「誰だって、ほんとうにいいことをしたら、いちばん幸なんだねえ。だから、おっかさんは、ぼくをゆるして下さると思う」（p 73 ⑥3-5）

このカムパネルラのつぶやきの意味は？ それは物語の最後に語られます。

❹ 白鳥の停車場とプリオシン海岸

さて銀河鉄道に乗った二人は『白鳥の停車場』に着きます。二人はそこで銀河の砂と水を手に取ってみます。物語の最初に教室で黒板に吊るした図で見た天の川、そして村はずれの丘では、ジョバンニが「ああ、あの白いそらの帯がみんな星だと言うぞ」と思いながら一人で見上げた天の川。その傍らにきているのです。その天の川で二人が砂を手に取るシーンです。

そして間もなく、あの汽車から見えたきれいな河原に来ました。カムパネルラは、そのきれいな砂を一つまみ、掌（てのひら）にひろげ、指できしきしさせながら、夢のように云っているのでした。「この砂はみんな水晶だ。中で小さな火が燃えている。」「そうだ。」どこでぼくは、そんなこと習ったろうと思いながら、ジョバンニもぼんやり答えていました。（p 75 ⑦）

プリオシン海岸で水晶（星）を手に取る二人

天の川もここではジョバンニ達の傍らを流れる小さな存在です。河原の砂＝水晶は星。二人は星を手に取ってキシキシさせ、光らせているのです。賢治の作品には、詩集『春と修羅』収録の「真空溶媒」や『注文の多い料理店』収録の「水仙月の四日」など、大きな宇宙、小さな宇宙とその入れ替わりが描かれたものがたくさんあります。(文献 7)　「銀河鉄道の夜」の中に、ジョバンニがお母さんの牛乳を買いに行くシーンがありますが、人間が飲む牛乳（小さい宇宙）が、お話の初めの教室ではミルキーウェイ、水に浮かぶ星（大きい宇宙）として描かれます。また、賢治の心象童話の傑作と言われ華厳経の世界を描くとされる「インドラの網」。この網は宇宙を取り巻く大きな網で、繋ぎ目一つ一つに宝珠があり、各々が一つの宇宙とされているのですが、賢治の中には常にそういう大きな宇宙、小さな宇宙という世界観があったのではないでしょうか。

水晶はこすると本当に光ります。この現象は摩擦発光と言い、キュリー夫人の夫、ピエール・キュリーらによって 1880 年に報告されました。(文献 8)
賢治の生まれる 16 年前のことです。この摩擦発光を見てみましょう。こするとオゾン臭のような匂いもするので、放電も起きているようです。水晶と石英は同じですので、石英でも光ります。皆さんも、水晶＝星を手に取ってジョバンニとカムパネルラの傍らにいる気持ちになってください。

参加者全員が、水晶を２個ずつ取ってこすり合わせる。電灯を消すと、「あ、光った！」「すご〜い！」（カシャカシャ…こする音が続く）

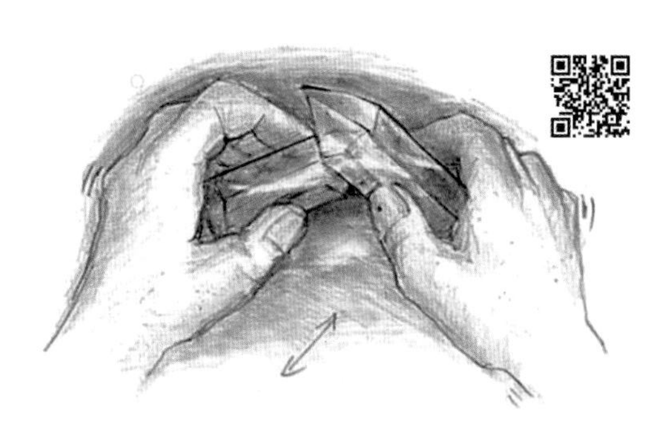

水晶同士を強くこすり合わせると発光する
水晶の摩擦発光 p47,48

水晶を多く含む砂は 鳴き砂 として知られ、本当にキシキシ鳴ります。鳴き砂の浜は、全国各地にあり、賢治の故郷岩手県にも何か所かあるようですが、これは石川県の門前町＜琴が浜＞の鳴き砂です。下の写真で見ると、左が鳴き砂で、右の普通の砂に比べ白っぽいですね。この砂で出来ている浜を歩くとキュッ、キュッという気持ちのいい音がするのですが、乳鉢に入れて乳棒で押しても素晴らしく響きます。これを鳴らしてみましょう。

鳴き砂を強く押すと砂同士が擦れてキシキシと音がする

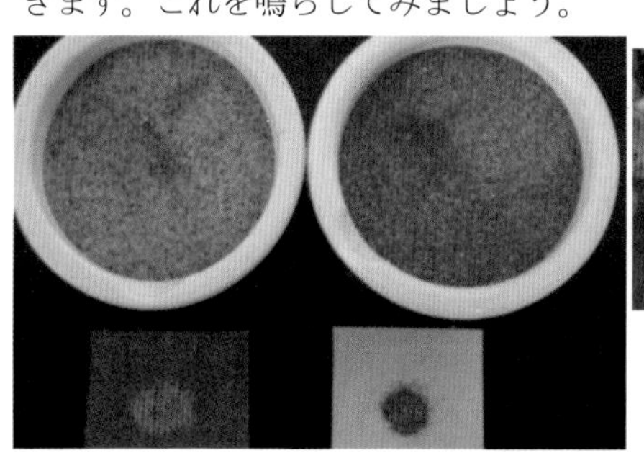

鳴き砂（左）は水晶が多く含まれ、普通の砂（右）に比べて白っぽい

❺ 光とエネルギーの輪廻

水晶はこすると光りましたね。「銀河鉄道の夜」には、＜ひかり＞という言葉が 100 ヶ所以上出てきます。そして星（地球では太陽）の光が宇宙空間を伝わってきて、すべてのエネルギーの源になることが描かれています。（文献 9）

ひかりといふものは、ひとつのエネルギーだよ。お菓子や三角標も、みんないろいろに組みあげられたエネルギーが、またいろいろに組みあげられてできてゐる。だから規則さへさうならば、ひかりがお菓子になることもあるのだ。（「銀河鉄道の夜」第 3 次稿）

銀河鉄道の車窓から見える草、水、石、宇宙の三角標等はどれもみな光を放っています。賢治はこれを燐光という表現で描いています。

「月夜でないよ。銀河だから光るんだよ」・・・そのきれいな水は、虹のようにぎらっと光ったりしながら、声もなくどんどん流れて行き、野原にはあっちにもこっちにも、燐光の三角標がうつくしく立っていたのです。（p 72 ⑥-1, 2）

三角標は測量の標識ですが、ここでは銀河鉄道から見える宇宙の標識として描かれています。このおかげで今いつ頃なのか、どこにいるのか、どこへ進めばいいのかがわかるのですが、本当に星空に三角標はあるのです。夏や冬の大三角がそれ。「銀河鉄道の夜」の第１次稿にはそれが描かれています。

燐光（蓄光）を放つ三角標の中を行く銀河鉄道ｐ46

「天の川を数知れない氷が　うつくしい燐光を放ちながら　おたがいぶつかり合って　まるで花火のようにパチパチいいながら　流れて来る向こうには　おおいぬ座のまばゆい三角標が輝きました」（「銀河鉄道の夜」第１次稿）

燐光（蓄光）は光のエネルギーを蓄えてゆっくり放出するものです。紫外線を当てた後、しばらくたってもぼーっと光ります。紫外線を当てている時だけ光るのは蛍光です。地球では多くのものが太陽の光を蓄える。植物も光合成で太陽光を有機物に変えて蓄える。そうしてできたブドウ糖等を溶かしこんだ水も光を蓄える。小麦やでんぷんでできたお菓子も光を蓄えている。これを賢治は光の輪廻として描いています。ところが燐光にはもうひとつ意味が込められていて、賢治は燐光の青い光を死後の世界＝冥土の光としても描いているようです。

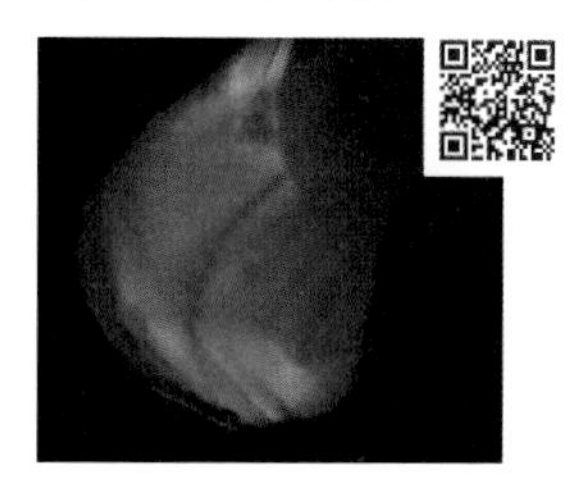

試験管での黄燐の燃焼

「青い星のような光がそこらいちめんに見えた。「これが死んだしるしだ。死ぬとき見る火だ。熊ども、ゆるせよ」と小十郎は思った。(「なめとこ山の熊」)
これがよだかの最後でした。それからしばらくたってよだかははっきりまなこをひらきました。そして自分のからだがいま燐の火のような青い美しい光になって、しずかに燃えているのを見ました。(「よだかの星」)

銀河鉄道は燐光の三角標の中を進みますが、それは死後の世界を旅することを暗示しているようです。この他、何回も出てくる青い光に烏瓜の火があります。カムパネルラは烏瓜の火と共に川に流されるのですが、これについては拙著「賢治が描いたサイエンスファンタジー」(文献22.p83～85)を参照下さい。

さて、河原の砂が鳴き砂になったり発光したりと面白い水晶の性質が描かれたプリオシン海岸でのシーンですが、他にも面白いものが発掘で出てきます。

「おや、変なものがあるよ。」カムパネルラが、不思議そうに立ちどまって、岩から黒い細長いさきの尖ったくるみの実のようなものをひろいました。「くるみの実だよ。そら、沢山ある。流れて来たんじゃない。岩の中に入ってるんだ。」
「大きいね、このくるみ、倍あるね。…」二人は、ぎざぎざの黒いくるみの実を持ちながら、またさっきの方へ近よって行きました。…「君たちは参観かね。」
その大学士らしい人が、眼鏡をきらっとさせて、こっちを見て話しかけました。
「ここは百二十万年前、第三紀のあとのころは海岸でね、この下からは貝がらも出る。このけものかね。これはボスといってね、…」「標本にするんですか。」
「いや、証明するに要るんだ。」(p76-77 ⑧-1～4)

賢治は発掘が大好きで、教え子たちと北上川のイギリス海岸(賢治命名)にも発掘をしに度々訪れたようです。ここでクルミの新種を発見したりして楽しい時間を過ごしました。その様子は作品「イギリス海岸」にも哺乳類

通常のクルミ(中)より大きい北上川イギリス海岸のバタクルミ(右端)

の足跡を見つけた時のことなどが生き生きと描かれています。「証明するに要るんだ。」と語られている発掘の意味は、本書 11 ページでも触れました。「銀河鉄道の夜」第 3 稿ではブルカニロ博士によって詳しく語られています。ところが理屈っぽくなるのを避けたのか、賢治は第 4 稿ではそれを削除してしまいました。

❻ 原子の輪廻と命の輪廻

光の輪廻つまりエネルギーの移り変わりとともに、お話を支えているのが原子と命の移り変わり、輪廻です。白鳥の停車場で乗り込んでくる乗客に鳥捕りがいます。「どうやって鷺をとるんですか？」というジョバンニの質問に鳥捕りはこう答えます。

「そいつはな、雑作ない。さぎというものは、みんな天の川の砂が凝って、ぼおっとできるもんですからね、そして始終川へ帰りますからね、…」ところが、つかまえられる鳥よりは、つかまえられないで無事に天の川の砂の上に降りるものの方が多かったのです。…「ああせいせいした。どうもからだに恰度合うほど稼いでいるくらい、いいことはありませんな。」（p 79 ⑨-1、p82⑨-2, 3 ）

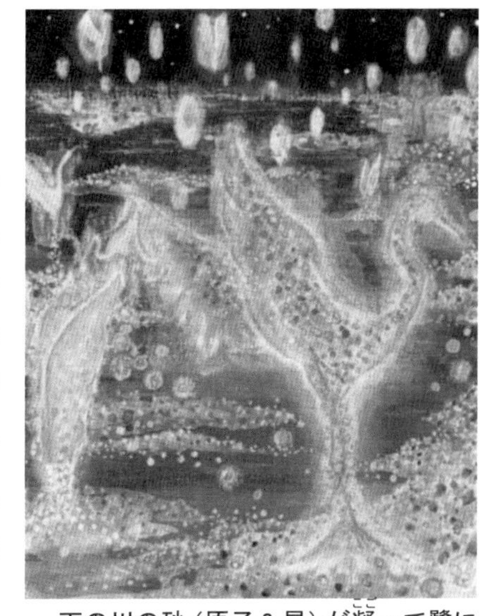

天の川の砂（原子＆星）が凝って鷺になり、また砂に帰る

白鳥の停車場では銀河の星であった砂が、ここでは万物を構成する原子のように描かれています。鷺は、原子である天の川の砂が凝って、つまり固まって、ぼおっとでき、また川の砂に帰る。こ

の様子を賢治が大好きだった再結晶の実験で見てみましょう。再結晶とは、水に過飽和に溶けた物質が一瞬に結晶してくることをいいます。そして水を少し加えて温度を上げるとその結晶は溶けてしまいます。それを酢酸ナトリウムという薬品でみてみましょう。コップの中に酢酸ナトリウム 10 g を入れ、水 4g に溶かして温め、冷やします。そこにほんの少しの酢酸ナトリウムの粉末を入れてやります。（みるみる結晶の花が開きはじめる。）参加者「うぉーっ！」

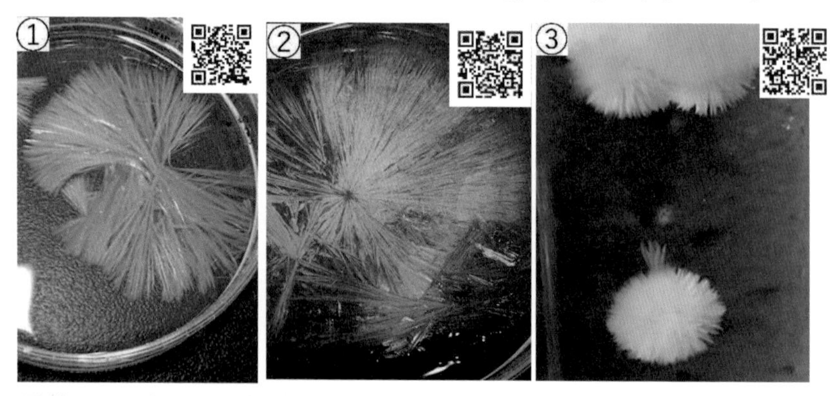

酢酸ナトリウムの再結晶と溶解を①、②シャーレと③試験管で見る。
「さぎというものは、みんな天の川の砂が凝って、ぼおっとできるもんですからね、そして始終川へ帰りますからね…」

賢治は再結晶の実験が大好きで、弟の清六さんに「孔雀（くじゃく）が羽を広げたようだねぇ」と言って何回もみせたということです。きれいですね。反対に、結晶が規則正しく壊れる現象が劈開（へきかい）です。平行四辺形の形に規則正しく割れる方解石でみてみましょう。ものがエネルギーを放ちながら壊れて原子に帰ることは、ジョバンニ達が食べるりんごにも描かれています。

方解石の劈開

「いかがですか。こういう苹果はおはじめてでしょう。」向うの席の燈台看守がいつか黄金と紅でうつくしくいろどられた大きな苹果を落さないように両手で膝の上にかかえていました。…姉はわらって眼をさましまぶしそうに両手を眼にあててそれから苹果を見ました。男の子はまるでパイを喰べるようにもうそれを喰べていました。また折角剥いたそのきれいな皮も、くるくるコルク抜きのような形になって床へ落ちるまでの間にはすうっと、灰いろに光って蒸発してしまうのでした。
（p 90 ⑯）

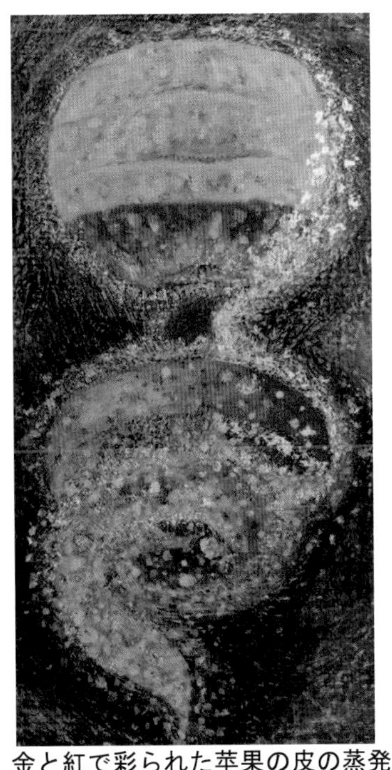
金と紅で彩られた苹果の皮の蒸発

金のりんごの皮は灰色の光を放って蒸発していくのですが、金のりんごは賢治の他の作品、真空溶媒等にも描かれています。
ギリシャ神話がイメージされているのかな？と思わせられる金のりんご。本書31ページでも紹介しますが、賢治の描くりんごにはいろいろなものが秘められているようで想像は尽きません。

❼ 強く願うことの大切さ

鳥の名前が付いた星座は、白鳥座や鷲座など9つあるのですが、その星座を捕まえる鳥捕りはすごくスケールが大きい存在ですね。ただ、銀河鉄道で鳥捕りが捕まえることになっている鶴、雁、鷺、白鳥のうち、鷺と雁は9つの中にはありません。鳥捕りは鳥を捕りたい場所と銀河鉄道の列車内を、思うように行き来することが出来ます。そしてジョバンニたちの前からも突然消えてしまいます。他の乗客とはどこか超越した不思議な存在のように思えますが、ジョバンニ達も、天の川のほとりでは水晶＝星を手にしている不思議な存在です。ところが人間として悩み、考えてもいる。例えばジョバンニは、鳥捕りが自分たちの前から消えたことを「自分があの人のことを邪魔なように思ったためではないか」と考えて悩み、カムパネルラに語ります。

「どうしてあすこから、いっぺんにここへ来たんですか。」

「どうしてって、来ようとしたから来たんです。」

「あの人どこへ行ったろう。」

カムパネルラもぼんやりそう云っていました。

「僕はあの人が邪魔なような気がしたんだ。だから僕は大へんつらい。」ジョバンニはこんな変てこな気もちは、ほんとうにはじめてだし、こんなこと今まで云ったこともないと思いました。（p81-82.85 ⑩-1～6)

「来ようとしたから来たんです」と語る鳥捕り。どちらも強く願うことの大切さを描いているのでは？と思えるのですが、このようなところは、他にもあります。例えば銀河鉄道が下りに差しかかった時、小屋の前にぽつんと立つ子を見て、ほう！とジョバンニが声をあげる次のシーンです。

どんどんどんどん汽車は降りて行きました。崖のはじに鉄道がかかるときは川が明るく下にのぞけたのです。ジョバンニはだんだんこころもちが明るくなって来ました。汽車が小さな小屋の前を通ってその前にしょんぼりひとりの子供が立ってこっちを見ているときなどは思わずほうと叫びました。（p95⑭-1)

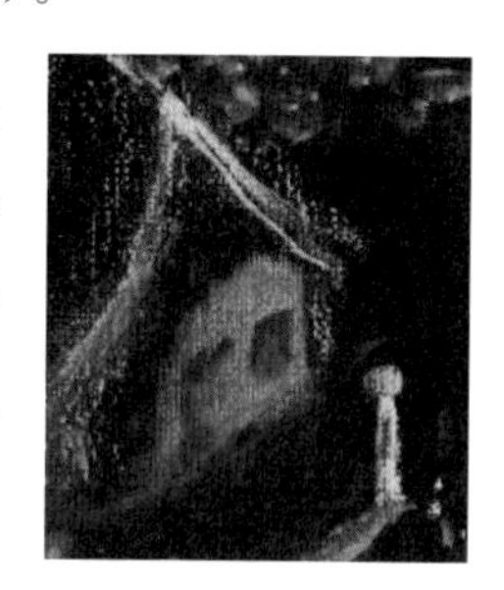

小屋の前にしょんぼり立つ子供

その少年は「町はずれの丘の上から列車を見て、カムパネルラと一緒に旅をできたらなぁ」と願っていたジョバンニ自身。そして、強く願う事の大切さは「ルビーよりも赤く透きとおりリチウムよりも美しいサソリの火」（本書35～38ページ）に凝集されていくように思えます。

❽ 鳥捕りとインデアン、それぞれの幸い

　この物語はジョバンニたちが、ほんとうの幸いとは何かを求めるお話でした。そして銀河鉄道に乗ってくるたくさんの人たちを通じて、それぞれの幸いが描かれます。
鳥捕りにとっては、

「ああせいせいした。どうもからだに恰度(ちょうど)合うほど稼いでいるくらい、いいことはありませんな。」（p82 ⑨-3）

というように、自分の商売に足りるくらいの鳥を捕まえることが幸いなのです。ところがこの後に出てくるインデアンの幸いは少し違います。新世界交響楽の調べと共に現れるインデアンの幸いはこう描かれています。

20 足ばかりの鳥を捕まえて満足する鳥捕り

インデアンはぴたっと立ちどまってすばやく弓を空にひきました。そこから一羽の鶴がふらふらと落ちて来てまた走り出したインデアンの大きくひろげた両手に落ちこみました。インデアンはうれしさうに立ってわらいました。（p95 ⑨-4）

　インデアンは一羽の鶴を捕まえて幸いを感じているのです。それぞれが違う幸せを感じている。そして、それでいいという風に淡々と描かれ、幸せとは何かを考える布石にもなっているようです。

1 羽の鶴で満足するインデアン

❾ アルビレオを観て想いをめぐらせる

賢治は、星空をみながら色々空想をめぐらせることが好きだったようです。そして驚きを持ってみたであろう科学実験などと関連させ、物語に描いていきます。白鳥座の首のあたりにあるアルビレオ。これは望遠鏡で覗くと青と黄色に輝く二つの星であることが分かるきれいな星です。これがクルクル回って重なったら何色に見えるでしょうか？ そこから賢治はどんなことをイメージしたのでしょうか？

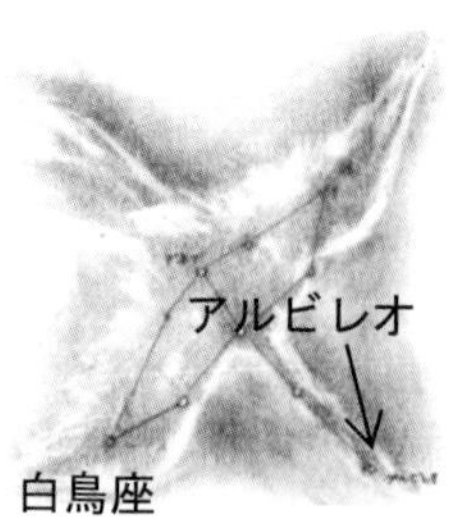

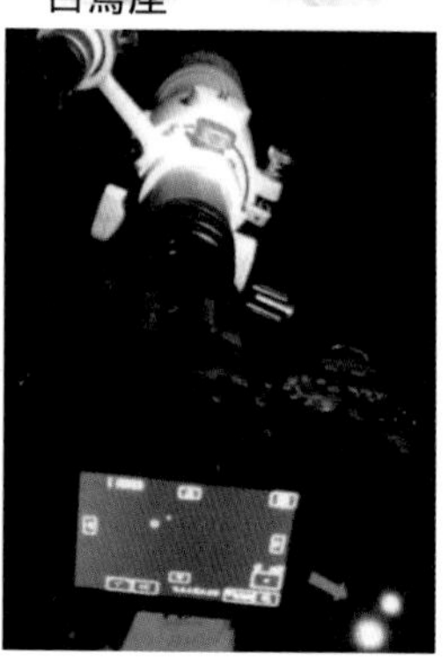

望遠鏡でアルビレオを観測する。右下は拡大図。撮影：干場輝夫氏（金沢星の会）

「もうここらは白鳥区のおしまいです。ごらんなさい。あれが名高いアルビレオの観測所です。」…その一つの平屋根の上に、眼もさめるような、青宝玉（サファイア）と黄玉（トパース）の大きな二つのすきとおった球が、輪になってしずかにくるくるとまわっていました。青いのは、すっかりトパースの正面に来ましたので、緑の中心と黄いろな明るい環（わ）とができました。銀河の、かたちもなく音もない水にかこまれて、ほんとうにその黒い測候所が、睡っているように、しずかによこたわったのです。「あれは、水の速さをはかる器械です」（p83 ⑪）

①羽根車の実験図 1879 (OnRadiantMatter)
②クルックス管中を発光回転する羽根車

このアルビレオと重なったのかな？と思えるものに、賢治の時代にクルックスという科学者によって示された陰極線（クルックス管．右図①②）や光（ラジオメーター．p29③）の実験があります。クルックス管は減圧されたガラス管中を電子が流れ、それにより羽根車が回転するもので、ラジオメーターは減圧されたガラス球中で光を受けた羽根車が回転するものです。

アルビレオの描写の元になっているのはロビンソン風速計（右図④）ではないかというのが一般的な説のようですが、私にはクルックス管やラジオメーターの羽根車に感動し、これにアルビレオそして宇宙空間を伝わる太陽や星々のエネルギーを重ねている賢治の姿が浮かびます。陰極線は賢治の座右の書『化学本論』（文献10）にも記載されていて、賢治に強い影響を与えており、詩「ながれたり」にも陰極線が川の流れと重ねて描かれています。

夜はあやしく陥（おち）いりて
ゆらぎ出でしは一むらの
陰極線の盲（しひ）あかり
また蛍光の青らむと
かなしく白き偏光の類
ましろに寒き川のさま…
（詩「ながれたり」）

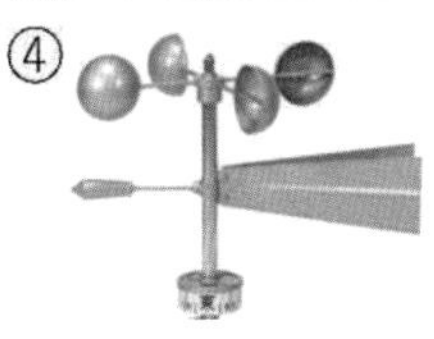

③日光（上）やライト（下）により回転するラジオメーター
④ロビンソン風速計（ケニスオンラインカタログより）

⑩ 学び続ける賢治

学び続ける賢治。そう思えるようになったのは陰極線についての「陰極線の盲あかり」（力丸光雄）（文献11）という文を読んだ事からです。ここには「ながれたり」の解説と、賢治の詩「五輪峠（『春と修羅　第二集』）の一節「このわけ方はいゝんだな　物質全部を電子に帰し…」が紹介されていました。科学の歴史をみると、クルックス管を巡る一連の研究によって、原子が究極の粒子ではなく、電子等のより小さい粒子に分けられること、羽根車の回転は電子に押されているのではなく、管内に残った空気の対流によるものであること等が明らかになっていくのです。「五輪峠」という詩には「なぜここを五輪峠というのか、五つの峠があるからそういうんだろうと思っていたけれど、五輪の塔があるからだったんだ。現地へ行ってみて初めてそれがわかった」という賢治の想いが描かれています。五輪とは、仏教では万物を構成するとされる五つの元素「地、水、火、風、空」をさす言葉です。賢治の中ではこの五輪と原子の構造がつながったようです。「原子が究極の粒子だと思っていたけど、そうではないんだな。もっと小さい粒子で出来ている。究極の粒子について、地水火風空から原子、もっと小さい粒子へと人間の理解が進んだだけだ。その先にある真理は変わらない。学び続けることが大切だ。」と五輪峠に立って賢治は考えている。それを「陰極線の盲あかり」で力丸氏も論じておられ、とても興味深いものがありました。

岩手県花巻市五輪峠にある五輪の塔。下から地水火風空を現す）（文献 12　p69）

あゝこゝは　　　五輪の塔があるために
五輪峠といふんだな　　　ぼくはまた
峠がみんなで五っつあって　　地輪峠水輪峠空輪峠と
いふのだらうと　　　たったいままで思ってゐた
地図ももたずに来たからな
そのまちがった五つの峯が　　どこかの遠い雪ぞらに
さめざめ青くひかってゐる　　消えやうとしてまたひかる
このわけ方はいゝんだな　　物質全部を電子に帰し
電子を真空異相といへば　　いまとすこしもかはらない…

「五輪峠」（『春と修羅　第二集』）

賢治はアインシュタインからも多くを学んでいて「想像力は知識よりも重要だ。知識には限界がある。想像力は、世界を包み込む」というアインシュタインの言葉などは、本書で 4 ページでも紹介した賢治の言葉「われらに要るものは銀河を包む透明な意志」（『農民芸術概論綱要』）に重なって聞こえます。銀河鉄道に登場する乗客の一人に燈台守がいて、ジョバンニ達に苹果を進める場面があります。燈台守はアインシュタインが理想とする仕事の一つだったそうですから、この燈台守はアインシュタインをイメージしているかもしれません。『春と修羅　第 2 集』の原稿欄外には＜ニュートン先生、ルメートル先生（ビッグバン宇宙論提唱者の一人)、アインシュタイン先生＞という賢治の書き込みもあるのですが、宇宙をイメージさせるりんごを「いかがですか。こういう苹果はおはじめてでしょう。」（ｐ89）とすすめる燈台守の言葉や、苹果の皮が灰色に光って蒸発してしまうという表現（p25 図）には、新しい宇宙論や質量とエネルギーの変換（$E=mc^2$）等を、「こういう苹果ははじめてだ」と驚きながら学び続ける賢治の姿が重なって見えてきます。

若き日には落ちこぼれの生徒だったというアインシュタインが対談(文献 13)の中で自らの受けてきた教育を振り返り次のようなことを語っています。

「私は落第生となり、学校も私を見限った。学校は退屈きわまりなく、教師たちは誰もが下士官みたいだった。私は知りたいことを学びたかったのに、彼らは試験のための勉強をさせようとした。学校の競争システムと、とくにスポーツが大嫌いだった。そういうわけで私はまったくの落ちこぼれとなり、幾度となく退学を勧告された。…教師たちからすれば、私の知識欲は奇妙に見えたらしいね。試験の点数こそ彼らの唯一の尺度だったのだから。そんなことで生徒を理解できるはずがないだろう。」

この辺の事情を賢治が知っていたかは不明ですが、「銀河鉄道の夜」の中で燈台守からりんごをすすめられた青年の「どこでできるのですか。こんな立派な苹果は？」という問いに対して、燈台守は次のように答えます。

「この辺ではもちろん農業はいたしますけれども大ていひとりでにいいものができるような約束になって居ります。農業だってそんなに骨は折れはしません。たいてい自分の望む種子さえ播けばひとりでにどんどんできます。…けれどもあなたがたのいらっしゃる方なら農業はもうありません。…」（p 89）
苹果を宇宙論、農業を教育と読み替えると、燈台守の言葉に託した、賢治の教育に対する想いとして聞こえてこないでしょうか。

⓫ ジョバンニの切符

　こうして銀河鉄道は白鳥座の連星アルビレオを見たりしながら、どんどん進んで行きます。「あれは、水の速さをはかる器械です。水も……」そう鳥捕りが言いかけたとき、車掌が切符を検札にきます。切符をもらった記憶のないジョバンニは焦ります。
「切符を拝見いたします。」三人の席の横に、赤い帽子をかぶったせいの高い車掌が、いつかまっすぐに立っていて云いました。…ジョバンニは、すっかりあわててしまって、もしか上着のポケットにでも、入っていたかとおもいながら、手を入れて見ましたら、何か大きな畳んだ紙切れにあたりました。…
「これは三次空間の方からお持ちになったのですか。」車掌がたずねました。…鳥捕りが横からちらっとそれを見てあわてたように云いました。「おや、こいつは大したもんですぜ。こいつはもう、ほんとうの天上へさえ行ける切符だ。天上どこじゃない、どこでも勝手にあるける通行券です。…」（p 83-84 ⑫）
　その切符に書かれていた言葉とは…。

　ジョバンニは想いがかない、カムパネルラと一緒に天の川を旅することが出来ています。そこに乗り込んでくるのが、タイタニック号の沈没で亡くなったカオルとタダシという姉弟と家庭教師の青年です。
「僕、船にのらなけぁよかったなあ。」というタダシに青年は、

「ええ、けれど、ごらんなさい、そら、どうです、あの立派な川、ね、あすこはあの夏中、ツインクル、ツインクル、リトル、スター　をうたってやすむとき、いつも窓からぼんやり白く見えていたでしょう。…」（p86 ⑭）

と話します。そしてタイタニック号の事件をジョバンニ達、乗客に説明します。

誰が投げたかライフブイが一つ飛んで来ましたけれども滑ってずうっと向こうへ行ってしまいました。…どこからともなく○○（2字空白）番の声があがりました。たちまちみんなはいろいろな国語で一ぺんにそれをうたいました。…（p88 ⑮）

この○○番というのは讃美歌「主よ御許に近づかん」で「○○には302または320番を入れたほうがいいのではないか」と佐藤泰平氏が書かれています。（文献14）　タイタニック号の沈没は1912年で賢治は16歳。岩手の新聞である岩手日報にもその記事が載り賢治は大きな影響を受けたようです。「主よ　御許に近づかん」が沈没していくタイタニック号で演奏されたのは、映画「タイタニック」にも描かれていますが、実話のようですね。

巖手日報

手　日

●空前の大慘事

ニユウヨーク電報によれば世界最大の汽船タイタニック號十四日の夜加奈太沖四百哩にて廣袤百哩餘の大氷山と衝突して沈没す乘客二千三百名の内僅かに七百名救助さる損害約三千萬圓に及び空前の大慘事なりと

明治45（1912）年の岩手日報

突然、銀河鉄道に乗り込んできたカオルとタダシ。しだいにカムパネルラとカオルが仲良くなります。ところがジョバンニにはそれが面白くありません。そして、二人に対して嫉妬する自分自身のことも苦にしています。

「あら、ここどこでしょう。まあ、きれいだわ。」青年のうしろにもひとり12ばかりの眼の茶いろな可愛らしい女の子が黒い外套（がいとう）を着て青年の腕にすがって不思議そうに窓の外を見ているのでした。…「…この鳥、たくさんですわねえ、あらまあそらのきれいなこと。」女の子はジョバンニにはなしかけましたけれどもジョバンニは生意気ないやだいと思いながらだまって口をむすんでそらを見あげていました。女の子は小さくほっと息をしてだまって席へ戻りました。カムパネルラが気の毒そうに窓から顔を引っ込めて地図を見ていました。「あの人鳥へ教えてるんでしょうか。」女の子がそっとカムパネルラにたずねました。（p 85-92 ⑬1～3)

（こんなしずかないいとこで僕はどうしてもっと愉快になれないだろう。どうしてこんなにひとりさびしいのだろう。けれどもカムパネルラなんかあんまりひどい、僕といっしょに汽車に乗っていながらまるであんな女の子とばかり談しているんだもの。僕はほんとうにつらい。)（p 94 ⑬-4)

⓬ 楽しいことを一緒に体験する

ところがこの悲しいジョバンニの気持ちは一緒に楽しいことをするうちにどんどん晴れていきます。

どんどんどんどん汽車は走って行きました。室(へや)中のひとたちは半分うしろの方へ倒れるようになりながら腰掛にしっかりしがみついていました。ジョバンニは思わずカムパネルラとわらいました（p 95 ⑭-2)

火薬を使って魚を取るところを見たときには…

「発破だよ。発破だよ。」カムパネルラはこおどりしました。（p 96 ⑭-3)
「空の工兵大隊だ。どうだ、鱒やなんかがまるでこんなになってはねあげられたねえ。僕こんな愉快な旅はしたことない。いいねえ。」ジョバンニはもうすっかり機嫌(きげん)が直って面白そうにわらって女の子に答えました。（p 96 ⑭-4, 5)

火薬を使って魚や鳥を捕るのは「風の又三郎」や「毒もみの好きな所長さん」等にも描かれています。きっと賢治も大好きだったのでしょう。＜楽しいことは止められない。それを一緒に体験するうちに仲良くなれる＞というのは実験の好きな私にはよくわかります。たぶん皆さんもそうですよね。

⑬ 真っ赤な火に込められたサソリの想い

この楽しい気持ちは、真っ赤に燃えるサソリの火を見て、そこに込められたサソリの思いを知ることで、もっと美しく大きいものになります。そのサソリの火はこんなふうに描かれています。

川の向う岸が俄かに赤くなりました。…ルビーよりも赤くすきとおりリチウムよりもうつくしく酔ったようになってその火は燃えているのでした。「あれは何の火だろう。」…「蝎(さそり)の火だな。」カムパネルラが又地図と首っ引きして答えました。（p 97 ⑰）

このリチウムの火を、賢治が大好きだった炎色反応の実験でみてみましょう。

賢治は、「双子の星」などの作品で竜巻を現世と天界を繋ぐ架け橋のように描いていますが、炎色反応に竜巻製造装置（石川幸一さん作）を使うと、サソリの想いが天に昇って星になるイメージに重なって素敵です。

参加者：「ああ、きれい」

サソリの火は、みんなの幸のためという想いが込められている分、リチウムより美しいのです。

このサソリの火に込められた想いとは何か？ カオルがこんなふうに話しています。

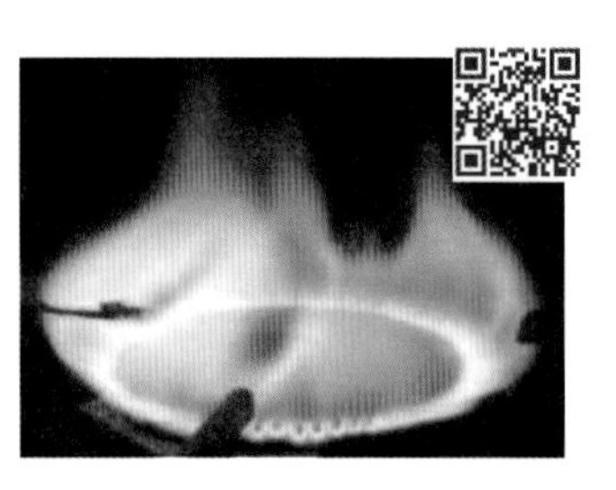

リングバーナーで見るリチウムの炎色反応 p50

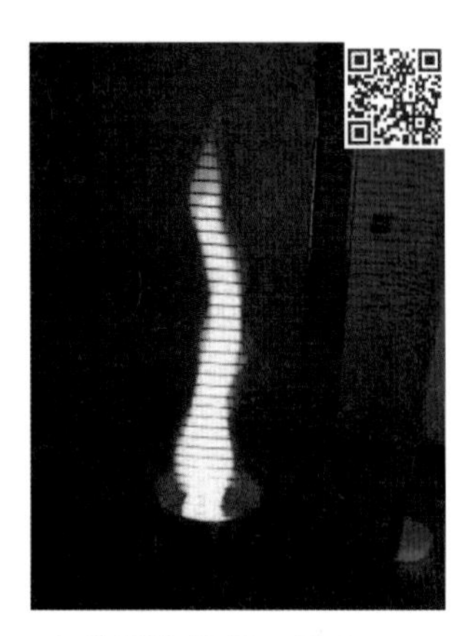

竜巻製造装置で見るリチウムの炎色反応。賢治は竜巻を、「双子の星」などで現世と天界をつなぐ架け橋のように描いている。

むかしのバルドラの野原に一ぴきの「蝎（さそり）がいて小さな虫やなんか殺してたべて生きていたんですって。するとある日いたちに見附かって食べられそうになったんですって。さそりは一生けん命遁（に）げて遁げたけどとうとういたちに押さえられそうになったわ、そのときいきなり前に井戸があってその中に落ちてしまったわ、もうどうしてもあがられないでさそりは溺れはじめたのよ。そのときさそりは斯う云ってお祈りしたというの、ああ、わたしはいままでいくつのものの命をとったかわからない、そしてその私がこんどいたちにとられようとしたときはあんなに一生けん命にげた。…どうか神さま。私の心をごらん下さい。こんなにむなしく命をすてずどうかこの次にはまことのみんなの幸のために私のからだをおつかい下さい。って云ったというの。…そうだ。見たまえ。そこらの三角標はちょうどさそりの形にならんでいるよ。（p 97－98 ⑱）

サソリは「まことのみんなの幸のために…」という願いが叶い、赤く輝いて三角標の形に並ぶ星座になりました。そのサソリの想いを知り、ジョバンニは「皆とずっと一緒に行きたい」という願いを強くします。ところがカオル達は次の停車場で下りてしまいます。一緒に行きたいと思っても行けないのは、現実の賢治の姿と重なるような気がします。二人になったジョバンニとカムパネルラはこう話します。

「けれどもほんとうのさいわいは一体何だろう。」ジョバンニが云いました。「僕わからない。」カムパネルラがぼんやり云いました。「僕たちしっかりやろうねえ。」ジョバンニが胸いっぱい新らしい力が湧くようにふうと息をしながら云いました。（p 101 ⑲）

⑭ カムパネルラの父と三角標

ところが、「しっかりやろうねぇ」と誓い合ったカムパネルラまでもが、次のような言葉を残し、突然消えてしまいます。

「あ、あすこ石炭袋だよ。そらの孔だよ。」…「僕ももうあんな大きな暗（やみ）の中だってこわくない。…」「あっあすこにいるのぼくのお母さんだよ。」
（p 102⑳）

南十字座（右上菱形の 4 つの星）と石炭袋（中央の暗い部分）を見るジョバンニとカムパネルラ

「銀河鉄道の夜」には光という言葉が 100 か所以上出てきますが、光が作り出す影もたくさん描かれています。その一つが、石炭袋です。石炭袋は〈空の孔〉と描かれていますが、後になって、明るい星座の前にある星雲が背後からの光を遮（さえぎ）って暗く見えているシルエットであることが明らかになりました。しかし賢治はそのことは知りませんでした。周囲の暗（やみ）があるからこそ輝いて見える星。その暗（やみ）の石炭袋も、実は星の集まりだった。もし賢治が真実を知ったら、お話はどう変わっていたのでしょうか？こんなことも賢治になったつもりで楽しめるのが賢治の世界かな？と思います。

実は銀河鉄道の乗客は、ジョバンニ以外はほとんど、すでに亡くなった人達なのです。ほとんどと書いたのは、燈台守や鳥捕り、車掌などは生死を超越したもっと大きな存在として描かれているように思えるからです。人間であるカムパネルラは川で溺れたいじめっ子のザネリを助け、舟に押しやりながら自分は溺れて亡くなってしまったのです。カムパネルラの「おっかさんは、ぼくをゆるして下さるだろうか。」「誰だって、ほんとうにいいことをしたら、いちばん幸なんだねえ。だから、おっかさんは、ぼくをゆるして下さると思う。」（p 73⑥-5）というつぶやきの意味は、相手がいじめっ子のザネリであっても、誰かの幸いのために命を落としたのなら、おっかさんも許してくれるだろうという意味であり、カムパネルラはすでに亡くなっているお母さんの許へ行ってしまいます。それがカムパネルラの幸いなのです。

たったひとりになったジョバンニは第 3 次稿では、こう決心しています。

「きっと僕は僕のために、僕のお母さんのために、カムパネルラのためにみんなのためにほんとうのほんとうの幸福をさがすぞ。」

（「銀河鉄道の夜」第 3 次稿）

そのジョバンニに第 3 次稿で登場するブルカニロ博士はこう語りかけます。

「さあ、切符をしっかりもっておいで。お前はもう夢の鉄道の中でなしに本当の世界の火やはげしい波の中を大股にまっすぐに歩いて行かなければいけない。天の川の中でたった一つのほんとうのその切符を決しておまえはなくしてはいけない。」

そしてブルカニロ博士は、ジョバンニの切符に包んで金貨 2 枚をプレゼントしています。

切符の中に大きな二枚の金貨が包んでありました。「博士ありがたう、おっかさん。すぐ乳をもって行きますよ。」（「銀河鉄道の夜」第 3 次稿）

しかし賢治は第 4 次稿ではブルカニロ博士を削除してしまいました。

そのかわりに登場するのがカムパネルラのお父さんです。そしてこういう風にジョバンニに話します。

けれども俄(にわ)かにカムパネルラのお父さんがきっぱり云いました。「もう駄目です。落ちてから四十五分たちましたから。」…「あなたはジョバンニさんでしたね。どうも今晩はありがとう。」…「あなたのお父さんはもう帰っていますか。」…「いいえ。」ジョバンニはかすかに頭をふりました。「どうしたのかなあ。ぼくには一昨日大へん元気な便りがあったんだが。今日あたりもう着くころなんだが。船が遅れたんだな。ジョバンニさん。あした放課後みなさんとうちへ遊びに来てくださいね。」そう云いながら博士はまた川下の銀河のいっぱいにうつった方へじっと眼を送りました。（p 105 ㉑-1，2）

このときカムパネルラの父は息子が亡くなり悲しみの底にいるのです。それなのに、その中からジョバンニに言葉をかけてくれます。ジョバンニが現実の世界で一番寂しく思っていること。それは、お父さんが悪いことをして捕まったと噂され、それを友達たちにからかわれること。それをカムパネルラの父がさりげなく解決してくれる。宇宙空間での位置を教えてくれる三角標のように現実の世界での人間のあり方を示してくれる存在として描かれているように感じられます。

ジョバンニにとって本当の幸いになるのは何なのか？ 賢治もずっと悩んだような気がします。「みんなの幸いのために前へ進め！」と励まし、進む方向性を指し示してくれるブルカニロ博士のような存在もミルクを買える金貨も大切だ。けれども、それよりもっと救いになる事。それは現実の世界の中でそっと寄り添い支えになってくれる存在ではないか。そしてブルカニロ博士に代わり、カムパネルラの父を登場させた。カムパネルラの父の深い悲しみも、ジョバンニに寄り添うことでこそ救われるのではないか？ ジョバンニの切符に書かれていた言葉とは？ ほんとうの幸いとはなにか？ 31 ページで述べた教育に対する思いと重なりますが、本当に大切なことは人から教えられるものではなく自分でみつけるものではないか？ と考えたのではないでしょうか？

最愛の息子を亡くしたカムパネルラの父は、妹トシの死や親友保坂嘉内との別れなど大切な人々を次々に失い、その悲しみを癒(いや)すように童話執筆に打ち込んだとされる賢治、中々周囲の理解が得られず、現実の世界の中で道を模索し続け、人々にとっての三角標のような存在になって人生の最後を生きた賢治の姿に重なります。悩みながら生きるすべを模索し続けた賢治の姿は「注文の多い料理店」の序文からも伺えるような気がします。その序文（抜粋）です。

これらのわたくしのおはなしは、みんな林や野はらやら鉄道線路やらで、
虹や月あかりからもらってきたのです。
ほんとうに、かしわばやしの青い夕方を、ひとりで通りかかったり、
十一月の山の風のなかに、ふるえながら立ったりしますと、
もうどうしてもこんな気がしてしかたないのです。ほんとうにもう、
どうしてもこんなことがあるようでしかたないということを、
わたくしはそのとおり書いたまでです。
ですから、これらのなかには、あなたのためになるところもあるでしょうし、
ただそれっきりのところもあるでしょうが、
わたくしには、そのみわけがよくつきません。
なんのことだか、わけのわからないところもあるでしょうが、
そんなところは、わたくしにもまた、わけがわからないのです。
けれども、わたくしは、
これらのちいさなものがたりの幾きれかが、おしまい、
あなたのすきとおったほんとうのたべものになることを、
どんなにねがうかわかりません。

大正十二年十二月二十日　宮沢　賢治　「注文の多い料理店　序」

子ども達と一緒に「銀河鉄道の夜」の実験を楽しむ
アースフィールド（石川県に新しい学校を創る会）での講座 2018.8.12 より

第２章　「銀河鉄道の夜」の実験

ここまでに紹介してきた「銀河鉄道の夜」をイメージできる実験を皆さんにも簡単に試して頂ける方法を紹介します。

❶　銀河（ミルキーウェイ）の実験１

「ではみなさんは、そういうふうに川だと云われたり、乳の流れたあとだと云われたりしていたこのぼんやりと白いものがほんとうは何かご承知ですか。」（p60 ①）

『銀河鉄道の夜』はこの教室での先生の問いかけのシーンから始まります。銀河を想像できるものとして14ページでも紹介した「チンダル現象」の実験は、光線が通る水や空気の中に牛乳などの粒（コロイド粒子といいます）があると、粒が光を散乱するため、光の通り道がみえるという現象です。このミルキーウェイをもう少し手軽に見る方法を紹介します。

<材料>

①　100円均一ショップなどで売られているLED光源台

②　コップ、試験管、牛乳（コーヒーフレッシュのような濃いものは不適）

③　ワイングラス、

14ページで紹介した実験は試験管立ての下から赤、緑、青、白のLED光が当たるようになっており、試験管に水を入れ、プラスチック製の醤油のたれビンなどで牛乳を滴下していくと光の通り道がまさにミルキーウェイとして現れます。石川幸一さん（岐阜物理サークル）に作成して頂いたものですが、この装置がなくても、光源として100均ショップ等で売られているLEDライトスタンド（図①）を用いると、より簡単に観察することができます。このスタンド上に、コップに入れた試験管（太さは自由）を置いたり、ワイングラスを置いたりします（図②）。そして水を入れ、牛乳を滴下するとミルキーウェイの輝きが現れ、ジョバンニ達と一緒の教室で、天の川の仕組みを学んでいるような気持ちになれます。銀河を構成しているのは、自ら輝く恒星ですが、光を反射して光るのなら、それは月の光になってしまいます。この実験を銀河として見るには正確さに欠けるのですが、このあたりは賢治も承知していたようで、銀河が見える理由をジョバンニ達は次のように語っています。

「おや、あの河原は月夜だろうか。」

「月夜でないよ。銀河だから光るんだよ」（p 72⑥-1)

賢治の化学的表現に詳しい板谷英紀氏は次の様に書かれています。「どうも賢治の科学用語は、理屈っぽくその科学的意味を吟味するよりも、実際にその事実に接して感覚的に受け止めるほうが、収穫が多いように思われます。賢治の詩や童話は文学作品であって科学論文ではないのですから」（文献 14, 15)

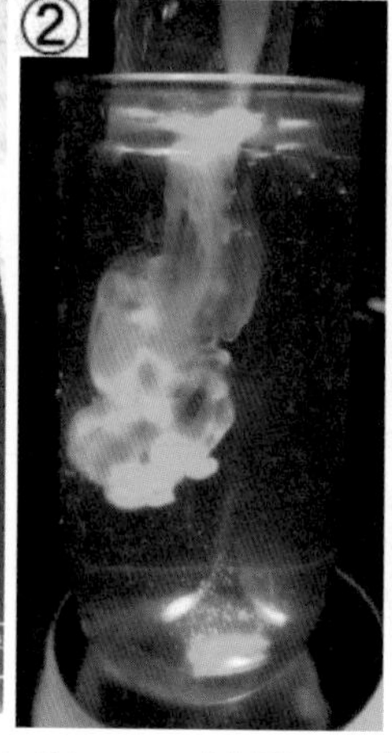

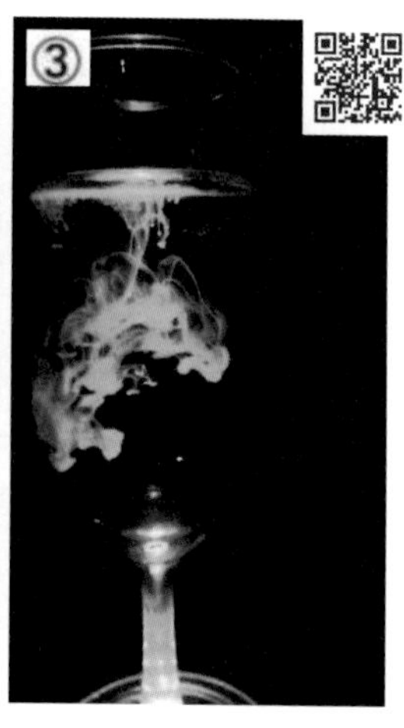

① のLED光源台の上に②のようにコップを置いて水を入れ、その中に水を入れた試験管を入れて牛乳を滴下したもの。コップの水のレンズ効果で大きく見える。③のようにコップの代わりにワイングラスを置くと、グラスの柄が光ファイバーの役割をして光源の光が伝わり、幻想的なミルキーウェイをみることができる。

❷　銀河（ミルキーウェイ）の実験２

なぜ天の川で、星が川のように連なってみえるのか？ を表す実験です。

＜材料＞

①　100円均一ショップで売られているLEDイルミネーションライト

②　金網

①　のライトはLEDの光が光ファイバーを通り先端が星のように輝きます。これと魚等を焼く金網を組み合わせると、銀河の薄い方を見た時は点々の星、厚い方を見た時には川のように連なって見えることを確かめることができます。ファイバーを金網に通した瞬間、光が拡がり、さながら宇宙の始まりのビッグバンを見ているようです。

①の光のイルミネーションに金網をかぶせると、ファイバーが網目に押されて光の点がパァッと広がり、分散した星空のようになる②。これを横から見ると、点が重なって川のように見える③。最初からファイバーの先を金網の目に分散して通しておくと、広がりやすい。

❸　燐光＆蛍光の実験（光る水、石、三角標）

「銀河鉄道の夜」では、宇宙空間の標識として描かれている三角標、水、植物等たくさんのものが美しい光を放ちます。賢治は、光のエネルギーをため込んで光り続ける燐光にエネルギーの輪廻を感じ、想いを込めて作品に描いているのでは？ということは21ページでも紹介しました。

UVライトを当てた時、蛍光を放つ身近なものとしてはキュウイなどの果物や動物の尿などがあります。市販のUVライトの用途に「ペットのおしっこ跡の探索」があるのも納得です。栃ノ木も樹液がきれいな蛍光を発し、小枝をコップの水に差し込むとゆらゆらと蛍光を発する液体が流れ出るのを見ることができます。「銀河鉄道の夜」では大きな役割を演じるサソリも蛍光を放ちUVライトの用途に「サソリ捉え」とあるのが興味深いです。この他、内部にオイルを含んでいる水晶などもオイルが光るという事です。オイルは生物由来ですから元は生物が太陽の光を蓄えたものです。栃ノ木やサソリの蛍光については
https://kinomemocho.com/kiasobi_aodamo.html
http://karapaia.com/archives/52200632.html　を参照して下さい。

<材料>UVライト。蓄光塗料。栃ノ木など蛍光を放つ物質各種。

燐光は蓄光ともいわれ、検索すると、蓄光石、蓄光塗料などを見つけることができます。この蓄光塗料を、針金や竹ひごを正四面体に組んだものに塗ると、三角標のイメージが浮かびます。塗料は油性なので水には溶けませんが、灯油やアルコールにこの塗料を溶かすと、水が光るイメージが浮かびます。

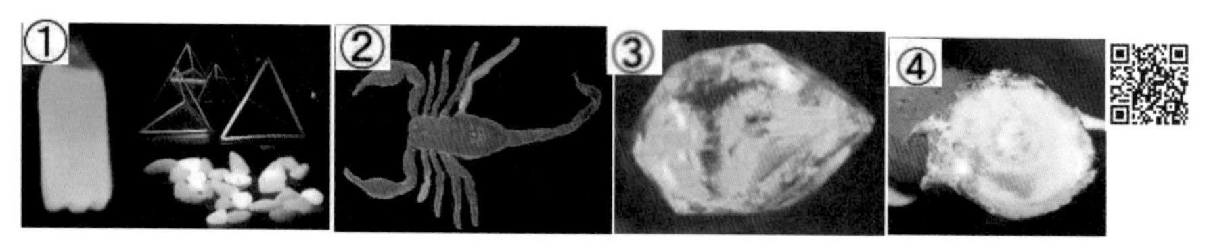

①UVライトを消しても、光り続けるのが燐光（蓄光）。②サソリや③オイル入り水晶にUVライトを当てると、蛍光を発する。④栃ノ木の小枝の断面にUVライトを当てると蛍光を発し、水に入れると蛍光物質が流れ出す。

❹　水晶の実験（鳴き砂、摩擦発光、熱伝導）

1．鳴き砂：賢治の作品にはたくさんの石や宝石が登場するのですが「銀河鉄道の夜」では水晶が特別の意味を持って描かれています。賢治はその性質をよく知っていて、描いているようです。その水晶の実験です。

カムパネルラは、そのきれいな砂を一つまみ、掌にひろげ、指できしきしさせながら、夢のように云っているのでした。「この砂はみんな水晶だ。中で小さな火が燃えている。」（p75 ⑦）

20ページでも紹介しましたが、水晶を多く含む砂は鳴き砂といい、普通の砂と比べると白っぽく見えます。全国各地に鳴き砂の浜が知られていますが、その上を歩くときゅっ、きゅっという気持ちのいい音がします。賢治の故郷、岩手県でも浪板海岸（岩手県上閉伊郡大槌町）や小久保海岸（岩手県上閉伊郡大槌町）が鳴き砂の浜として知られています。鳴き砂を採取して乳鉢に入れ、乳棒で突くと音がします。繰り返しやっているうちに鳴かなくなりますが、水洗いして細かい破片を取り除き、乾燥させると復活します。私は、実験を繰り返すうちに鳴かなくなった砂は、元の浜へ帰すようにしました。洗っても復活するのですが、浜へ帰せば波がその作用をしてくれます。「銀河鉄道の夜」では、天の川の砂つまり星は水晶で出来ていて、キシキシ鳴るし、光を放ちます。そこから鷺（さぎ）がぼおっと凝（こご）って生まれ、また砂に帰ります。鳴き砂を浜へ帰すと、そういう輪廻の中に自分も入り込んだような不思議な気持ちになれます。

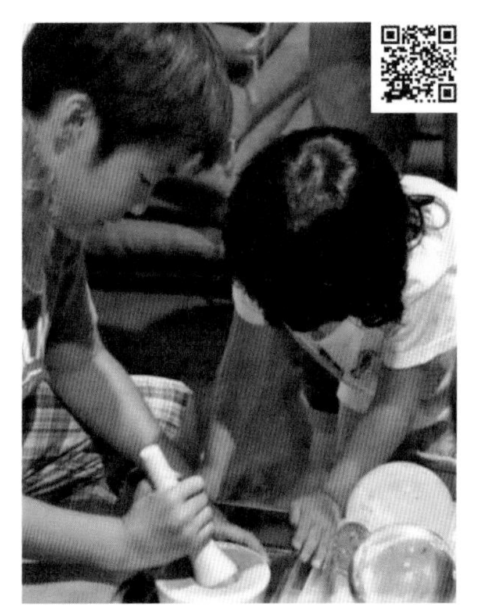
乳鉢で鳴き砂の響きを楽しむ

２．摩擦発光：❶のミルキィウェイの実験でも紹介した LED スタンドに水晶を置くと右①のように素晴らしくきれいな輝きを放ちます。しかし賢治の頃に LED はありません。ここでは②、③のように水晶同士をこすり合わせ、中で輝く光を見ながらジョバンニ達の気持ちを味わって下さい。水晶同士をこすり合わせると発光する摩擦発光(文献 17)については 20 ページでも触れましたが、水晶だけでなく、石英片岩などでも観察出来ます。摩擦発光を試す際に水晶が割れることがあります。水晶の破片は鋭くて危険です。ぶつけるのではなくこすり合わせて下さい。防護眼鏡着用が望ましいです。

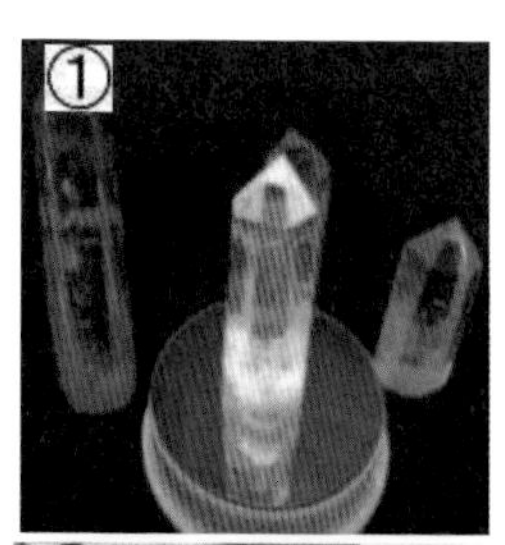

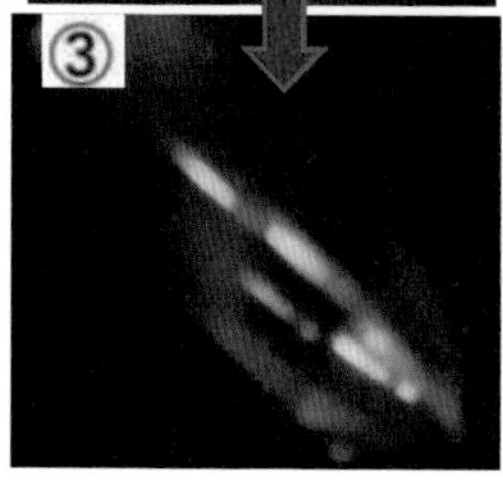

水晶の摩擦発光
②のようにこすり合わせると③のように発光する

３．熱伝導：水晶とガラスを簡単に見分ける方法のひとつに「触ってみて冷たく感じるほうが水晶」というものがあります。ところが放射温度計などで温度を測ってみると同じなので驚きます。水晶の熱伝導率はガラスの８倍もあるため冷たく感じるのです。水晶玉を板氷の上に置いてみると、ガラス玉よりはるかに速く氷を融かして沈み込んでいきます。ちなみに銅

左：触ると冷たく感じる水晶も温度はガラスと同じ
右：氷の上に置いたガラス、水晶、銅球（左から）

の熱伝導率はガラスの403倍。触ると水晶より冷たく感じ、氷にも素晴らしい速さで沈んでいきます。水晶の冷たさは賢治にとって魅力ある不思議なものだったのでしょう。「銀河鉄道の夜」には出てきませんが、その性質は童話「双子の星」にも「つめたい水晶のような流れを浴び…」などと描かれています。

「双子のお星さまたちは悦んでつめたい水晶のような流れを浴び、匂のいい青光りのうすものの衣を着け新しい白光りの沓(くつ)をはきました。」
（「双子の星」）

❺ 炎色反応

炎の中に金属の化合物を入れると、その金属に特有の色の炎が出てきます。塩化リチウムや塩化銅では透き通った赤や青の炎が現れます。この炎色反応を賢治は大好きだったようで、多くの作品に描いています。中でも素晴らしいのはサソリの火の描写です。「みんなの幸いのために私のからだをおつかい下さい」というサソリの願いがかなって、リチウムよりも美しく赤く燃える火になったのがさそり座のアンタレス。これを見てジョバンニとカムパネルラは

「僕はもうあのさそりのようにほんとうにみんなの幸のためならば僕のからだなんか百ぺん灼(や)いてもかまわない」「うん。僕だってそうだ」（p 101⑲）

と誓いを交わすのです。36ページの竜巻の炎色反応は、見た人から驚きのため息がこぼれますが、手軽に観察できるのは板谷英紀氏が紹介されたコンロのリングバーナーでの実験です。（文献16） この方法で見た塩化リチウムの赤（36ページで紹介）や塩化銅の青い炎（次ページ）もとてもきれいです。しかし賢治の頃にあったもので炎色反応を見るとすれば、アルコールランプでしょうか。アルコールランプは「銀河鉄道の夜」「水仙月の四日」などにも登場します。

カムパネルラのうちにはアルコールラムプで走る汽車があったんだ。レールを七つ組み合せると円くなってそれに電柱や信号標もついていて信号標のあかりは汽車が通るときだけ青くなるようになっていたんだ。いつかアルコールがなくなったとき石油をつかったら、罐（かま）がすっかり煤（すす）けたよ。」（p 65④-2）

「カシオピイア、もう水仙が咲き出すぞ　おまえのガラスの水車　きっきとまわせ」…「アンドロメダ、あぜみの花がもう咲くぞ、おまえのラムプのアルコホル、しゆうしゆと噴かせ」（水仙月の四日）

「水仙月の四日」は、冬の岩手の幻想的な情景を歌った賢治の童話です。アンドロメダが「ラムプのアルコホル」を「しゆうしゆ」と噴かし、カシオペアがガラスの水車をきっきと回すと雪が降るのです。それは電気菓子（綿菓子）ができる仕組みと同じであることが、物語のなかでも語られます。水の変化と砂糖の変化の対比…。天空の星と綿菓子機…。（文献 7）　そのあたりは物質の輪廻を描く「銀河鉄道の夜」にも通じるものがあります。

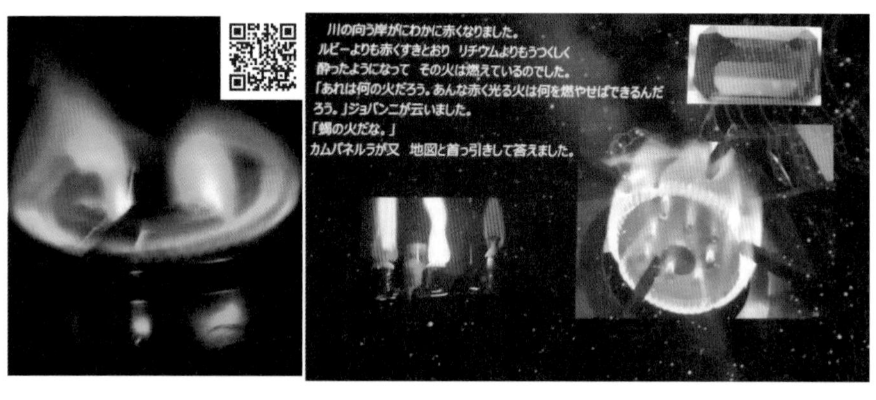

炎色反応（左が塩化銅）を、カセットコンロやアルコールランプで観察する
プラネタリウム講座の際に天の川に重ねて投影した炎色反応とルビー（右）

＜材料＞塩化リチウムや塩化銅の粉末。スティック糊。長めのドライバーや針金。カセットコンロ（リングバーナー内炎式がよい）。アルコールランプ。

<方法>

ドライバーや針金の先にスティック糊を付け、そこに塩化リチウムや塩化銅の粉末を付けます。これをリングバーナーの炎の中に入れると、赤や青の炎が全体に広がります。粉末の種類を色々変えて楽しめます。燃焼ガスを吸わないように注意します。使用後、ドライバーはよく洗って乾かしておきます。アルコールランプの場合は、芯の上に塩化物を少し付け、点火します。何回かやると炎色が見えにくくなるので、その場合は芯を引き出して少し切って使います。

イラスト：細川理衣

さそり座は賢治が最も好きだった星座のようで　『宮沢賢治-素顔のわが友-』(佐藤 隆房著、冨山房)の「25 星」にもこんな記述があります。

東京から帰って間もない賢治さんが「あのさそり座というのは数々の星座のうちで傑作ですよ。あの光と形をご覧なさい」などと言いました。

最も好きだったサソリ座、そしてアンタレスの赤い火に「本当の幸いは、みんなの幸いのために生きることではないか？」という想いを重ねていることがここからも伝わってきます。

木越あい作
星巡りの歌グラスより
「サソリの火」

第３章　「銀河鉄道の夜」と音楽

「実験を見ながら銀河鉄道の夜に出てくる歌を歌いたい」という講座の依頼を頂いた際に「銀河鉄道の夜」にはどんな音楽がどんな風に出てくるかを探ってみました。そこからまた興味深いことが見えてきました。その音楽のうち3曲について、友人の太田英一さんが指導される『コマツ HAPPYMERODY』（児童合唱団）に録音をお願いし、QR コードで聞いて頂けるようにしました。

①　【星めぐりの歌】

この「星めぐりの歌」は作詞作曲も賢治自身です。お話の中で何回も登場し、子ども達の楽しみや、ジョバンニやカムパネルラの悲しみと一体になって描かれていて、そのメロディもどこか寂しげです。

・子どもらは、みんな…星めぐりの口笛を吹いたり…（p 67ⓐ)

・ジョバンニは…高く高く星めぐりの口笛を吹きながら…（p 72ⓒ)

・カムパネルラもさびしそうに星めぐりの口笛を吹きました。（p 94ⓓ)

星めぐりの歌　　宮沢賢治　詞・作曲

あかいめだまのさそり
ひろげた鷲のつばさ
あをいめだまの小いぬ
ひかりのへびのとぐろ
オリオンは高くうたひ
つゆとしもとをおとす

アンドロメダのくもは
さかなのくちのかたち
大ぐまのあしをきたに
五つのばしたところ
小熊のひたいのうへは
そらのめぐりのめあて

②　【ヘンデル『メサイヤ』第 44 番ハレルヤ】

「ハレルヤ」は讃美歌の一つですが、讃美歌もお話の中に何回も登場します。

・「ハルレヤ、ハルレヤ。」前からもうしろからも声が起こりました。ふりか

えって見ると、車室の中の旅人たちは…　　　　　　（p 74ⓕ）

・「ハルレヤハルレヤ」あかるくたのしくみんなの声はひびき（p 100ⓙ）

ところが表記がハレルヤではなく、ハルレヤ。ここには一つの宗教、国を超えて大きな幸せを祈りたいという願いが込められているように思えます。

③　【ドボルザーク『新世界第 2 楽章』より【家路】

賢治はドボルザークの世界が好きだったようで「家路」として親しまれている新世界交響楽第 2 楽章には自らが詞を付け「種山が原」という劇として演じていたくらいです。27 ページで紹介しましたが、インデアンは新世界交響楽とともに登場し一羽の鶴を射落とします。ここにも静かな祈りが感じられます。

・遠くの野原のはてから、かすかなかすかな旋律が 糸のように流れて来るのでした。「新世界交響楽だわ。」姉がひとりごとのように…。（p 94ⓗ）

・新世界交響楽はいよいよはっきり地平線のはてから湧きそのまっ黒な野原のなかを一人のインデアンが…一目散に汽車を追って来るのでした（p 94ⓘ）

④　【ツインクル、ツインクル、リトルスター】

33 ページで触れましたが、この歌には英語の詞もあります。

英語原詞	日本語訳
Twinkle, twinkle, little star,	きらめく、きらめく、小さな星よ
How I wonder what you are!	あなたは一体何者なの？
Up above the world so high,	世界の上空はるかかなた
Like a diamond in the sky.	空のダイアモンドのように
Twinkle, twinkle, little star,	きらめく、きらめく、小さな星よ
How I wonder what you are!	あなたは一体何者なの？

この歌では星はダイアモンドですが、ジョバンニが銀河鉄道に乗るシーンでも「またダイアモンド会社でねだんがやすくならないために、わざと穫(と)れないふりをして、かくして置いた金剛石（ダイアモンド）を、誰かがいきなりひっくりかえして、ばら撒いたという風に、眼の前がさあっと明るくなって（p 70）」

という風に、星がダイヤモンドとして描かれています。そしてこの歌は、カオルとタダシが銀河鉄道に乗り込んでくるシーンで

「ええ、けれどごらんなさい、そら、どうです、あの立派な川、ね、あすこはあの夏中、ツインクル、ツインクル、リトル、スターを歌ってやすむとき、いつも窓からぼんやり白く見えていたでしょう。」（p86⑭）

と再び登場します。この歌にも特別な意味が込められているのでしょうか？

福島県楢葉町での講座の際に星の歌を歌いたいと思い、「皆さんは星の歌というと、どんなのを知っていますか？」と小1〜3年生に聞いたところ、「キラキラ光る…」というのが返ってきました。その時は（「きらきら星」はちょっと関係がないなぁ）と思ったのですが、「きらきら星」は「ツィンクルツィンクルリトルスター」。「お空でダイアモンドのように光っているお星さま、あなたはいったい何者なの？」と英語では歌われ、「銀河鉄道の夜」にはしっかり登場していることに後で気がつきました。この「きらきら星」の元はなんと18世紀末のフランスのシャンソン。賢治のお話には色々な国の言葉が出てきて、我々の意識から人種間や地理的な隔たりを取り去る働きをしているようです。

⑤ **【星の界】**

「ハレルヤ」の他にも讃美歌は出てきます。調べてみると、賢治が讃美歌を好み、8曲ほど愛唱していたことが、賢治の音楽に詳しい佐藤泰平氏の『宮沢賢治の音楽』（文献19）に記されていました。讃美歌にはほとんど縁のない私でも、結婚式でもよく歌われる「慈しみ深き」のメロディは小学校の音楽で「星の世界」としてなじんだもので、星好きな賢治はこの「慈しみ深き」も「銀河鉄道の夜」に用いているのでは？と思えました。ところが、探してみてもそれらしきものが見つからず、愛唱の8曲にも「慈しみ深き」は入っていなかったのです。「慈しみ深き」の歌詞が世に出るのは1931年（文献20）で賢治は35歳と晩年。同じメロディが「星の世界」の歌詞として音楽の教科書に載るようになったのは1970年。賢治はその歌詞を知る由もありません。ところがこの

曲にはもう一つ歌詞があり、賢治の少年時代には、そちらの方が音楽の教科書に載っていたことが分かりました。しかもその歌詞を読んでみて驚きました。「月なき　み空に　きらめく光…いざ棹させよや　窮理の船に」それは「銀河鉄道の夜」に描かれた世界そのものに感じられるものでした。この歌詞が音楽の教科書に載ったのは 1910 年。当時、賢治は盛岡中学の 2 年生で 14 歳。多感な少年、賢治が学友達と共に胸を熱くしてこの歌を歌い、後の「銀河鉄道の夜」のモチーフになったのではないか？と思われてなりませんでした。「銀河鉄道の夜」とこの歌詞の関係を記す文献等は無いのですが、色々想像をつなげるのが賢治の世界なのですから「少年賢治が胸をときめかせて歌ったに違いない」と想像して、皆さんとこの歌詞で歌ってみるのもいいなと思いました。

慈しみ深き　讃美歌
いつくしみ深き
ともなるイエスは
つみ　とが　うれいを
とり去りたもう
こころの嘆きを
包まず述べて
などかはおろさぬ
負える重荷を

星の世界　川路柳虹作詞
かがやく夜空の　星の光よ
まばたくあまたの,
遠い世界よ
更け行く秋の夜
澄み渡る空
望めば不思議な
星の世界よ

星の界（ほしのよ）
杉谷 代水　詩　　コンバース作曲

1．月なきみ空に　きらめく光
嗚呼その星影　希望のすがた
人智は果てなし　無窮の遠(おち)に
いざ其の星影　きわめも行かん

2．雲なきみ空に　横とう光
ああ洋々たる　銀河の流れ
仰ぎて眺むる　万里のあなた
いざ棹させよや　窮理の船に

更にもう一曲欠かせないと思えたのが、タイタニック号沈没の際にも歌われたとされ、そのことが物語でも語られる讃美歌「主よ御許に近づかん」です。

⑥　【主よ御許に近づかん】

・どこからともなく（2字空白）番の声があがりました。たちまちみんなはいろいろな国語で一ぺんにそれをうたいました。（p88⑮）

・そのとき汽車のずうっとうしろの方からあの聞きなれた（2字空白）番の讃美歌のふしが聞こえてきました。…だんだんはっきり強くなりました。思わずジョバンニもカムパネルラも一緒にうたい出したのです。（p91ⓖ）

この歌について佐藤泰平氏は、CD集『宮沢賢治と音楽』（文献21）の中でも「銀河鉄道の夜」初稿には、賢治がニアラーマイゴッド（nearer my god）とカタカナで歌詞を入れていたと語っておられます。「いろいろな国語で一ぺんにそれをうたいました。（p88⑮）」を賢治は自ら実践していたのです。

賢治の作品には英語やドイツ語がたくさん登場します。ジョバンニやカムパネルラといった人名もそうですが、それらの表現や国境を越えて心に響く音楽には「人間は皆一緒だ」ということを感じてほしいという賢治の想いが込められているような気がします。(文献22)（それなら「主よ御許に近づかん」を日本語と英語の両方で歌いたい）と思ったのは「はじめに」でも紹介した「東京音楽の会」講座当日の朝でした。こうして新しい依頼を経るたびに構成し直される「実験で楽しむ銀河鉄道の夜」講座は、この時から音楽という新しい要素を加えることになりました。幸いなことに、講座後、頂いた感想には次のようなうれしいものが並びました。

・「たちまちみんなはいろいろな国語で一ぺんにうたいました」のシーンが生き生きと浮かびました。・見ると聞くとでは大違い。想像しながら歌ったりするのも悪くないと日頃強がったりしていましたが、実験の神秘的な美しさに接し、歌の世界がより具体的にイメージできる気がしてきました。

・「星の界」の最後「いざ棹させよや　窮理の船に」が強く心に残りました。

◎他講座での感想から

この講座の他、石川県の高校文化連盟「秋の実験セミナー」での２時間講座の際に高校１年生の方から頂いた感想を一つ紹介します。

・私が参加したのは「実験で楽しむ銀河鉄道の夜」です。講座が始まるまでは、どのように文学作品と実験が関わってくるのか不思議に思っていました。しかし、講座に参加してみると、鳴き砂やウミホタルなどを使った美しい実験を通して、作者や作品への理解を深めることができて、疑問は感動に変わりました。「銀河鉄道の夜」は私が思っていたよりもずっと一文一文が考えられて作られていたことを知り、とても驚いています。そして映像で学ぶだけでなく、自分達の手で実験して実際に見ることで、まるで自分も「銀河鉄道」の登場人物の一人になったような気持ちになることができて嬉しかったです。心の底から充実した時間を過ごすことができました。いつか今回の講座を思い出しながら「銀河鉄道の夜」を読んでみようと思います。

また、この本の挿絵を描いて頂いたHISAさんは、絵本作り教室を開かれているのですが、プラネタリウムでの「実験で楽しむ銀河鉄道の夜」講座を生徒さんと観て下さった後、絵本作りをされた際の様子を、生徒のゆらちゃん（当時小5）が作った絵本と共に紹介されています。

ゆらちゃんの絵本は「あなたの幸せは何ですか。幸せはきっと一つだけではないはず」から始まって、いくつかの幸せが描かれ、「ゆっくり時間をかけて たくさんの幸せを見つけていこう」と結ばれていて、その大らかな絵に魅せられました。同時に皆さんが実験を通して賢治からのメッセージをそれぞれに受け取っておられることが伝わってきました。

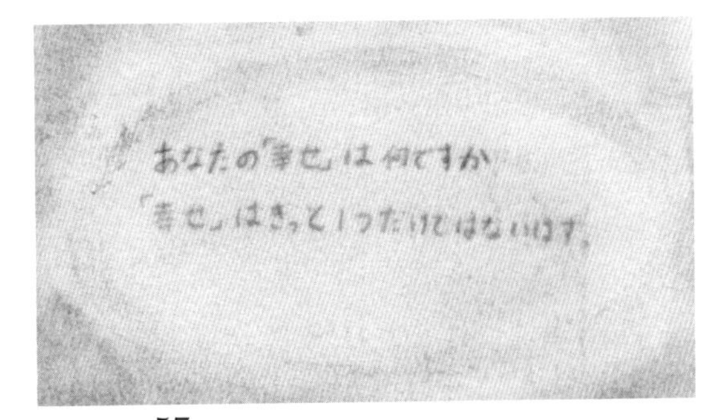

天の川を走る汽車を描く。
燐光とは・・を見て知って
エネルギーのもと太陽を描く。
ハートを描く　愛と描く。
宇宙旅行をしているような美しい絵を
どんどん描く。
とびだす部分、集中して３枚描いて
突然眠たさがきてふらふら。
お家で描いていいよと言って中断と
思いきや、
描く！と言って一気に仕上げる。
小さな指であまりに一生懸命描いていたから
疲れかたかな？と思ったら もう一枚描く！
と言って４ページの絵本を描く
夕日に照らされた雪だるまの横顔。
毎回参加してくれている女の子の
ある一枚の絵、きっと大好きなものを一個づつ
描いているんだなと見ていた。
帰ってから、文章を書き入れて
完成させてくれた。
本当の幸いとは？
銀河鉄道の夜に込められた
ひとりひとりへの問いかけから
自分が大切にしている幸せを描いたんだ。
「あなたの 幸せ は、何ですか？
幸せは、きっとひとつだけではないはず」
１ページ目、彼女の問いかけから
絵本は、はじまる。・・・・・HISA

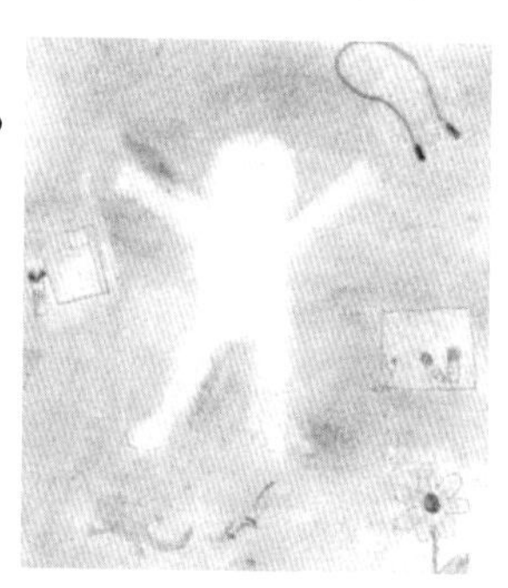

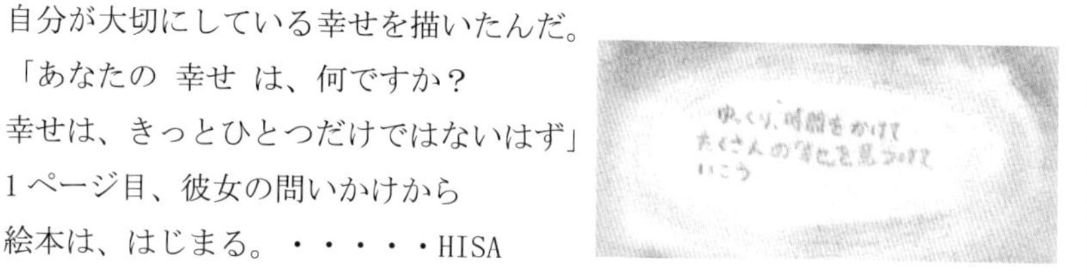

「こころとびだす絵本作り」より
絵本「幸せ」絵＆文：ゆら

おわりに　真理の泉に柄杓（ひしゃく）を入れる仲間として

最後に賢治が友人にあてた言葉からもう一つ。「まったくさびしくてたまらず、美しいものがほしくてたまらず、ただ幾人かの完全な同感者から「あれはそうですね」というようなことを、ぽつんと言われる位がまずのぞみというところです。」（1932 年 6 月 21 日　母木光あての手紙）　（文献 18 p406）

「ただ幾人かの…」という賢治の小さなのぞみは、その想いをはるかに超えて 100 年後の私達にも確かな火を灯してくれています。賢治にとって美しいものとは、自然、科学、宗教、音楽等いろいろであり、生きる喜びが作品の根底をしっかり支えています。そして賢治が好きだった実験等に触れると、美しい表現に込められた彼の想いがよりはっきりと見えてくるようです。

色々調べていくうちに、賢治がいつも傍らにいて、真理の泉に一緒に柄杓を差し入れながら「幸せに生きるってどういう事なんだろうねぇ？」と考える仲間のように感じられてきました。この「真理の泉」という表現ですが、NHK の賢治生誕記念の特集番組の中で、劇作家の別役実さんが梅原猛さんと対談された際に「真理の泉に柄杓を入れているような人ってたくさんいますよね。賢治もその一人ですよね」と語られていたように思います。その言葉は強く印象に残りました。そして（私も、講座に参加された皆さんと一緒に真理の泉に柄杓を入れながら、傍らにいる賢治に「あれはそうですね」と言えるようになれたらいいなぁ）と思うようになりました。

賢治の好きだった実験や音楽をたくさん紹介させて頂きました。私の言ったことは忘れてしまっても体験したことは忘れないと思います。これからも、賢治が好きだった美しい星空や実験を見ながら、音楽を口ずさみながら、ほんとうの幸いを賢治と一緒に探し続けていきたいと思います。

銀河鉄道の夜（第４次稿）

宮沢賢治

一、午后の授業

「ではみなさんは、そういうふうに川だと云われたり、乳の流れたあとだと云われたりしていたこのぼんやりと白いものがほんとうは何かご承知ですか。」先生は、黒板に吊した大きな黒い星座の図の、上から下へ白くけぶった銀河帯のようなところを指しながら、みんなに問をかけました。①

カムパネルラが手をあげました。それから四五人手をあげました。ジョバンニも手をあげようとして、急いでそのままやめました。たしかにあれがみんな星だと、いつか雑誌で読んだのでしたが、このごろはジョバンニはまるで毎日教室でもねむく、本を読むひまも読む本もないので、なんだかどんなこともよくわからないという気持ちがするのでした。

ところが先生は早くもそれを見附けたのでした。

「ジョバンニさん。あなたはわかっているのでしょう。」

ジョバンニは勢よく立ちあがりましたが、立って見るともうはっきりとそれを答えることができないのでした。ザネリが前の席からふりかえって、ジョバンニを見てくすっとわらいました。ジョバンニはもうどぎまぎしてまっ赤になってしまいました。先生がまた云いました。

「大きな望遠鏡で銀河をよっく調べると銀河は大体何でしょう。」

やっぱり星だとジョバンニは思いましたがこんどもすぐに答えることができませんでした。

先生はしばらく困ったようすでしたが、眼をカムパネルラの方へ向けて、「ではカムパネルラさん。」と名指しました。するとあんなに元気に手をあげたカムパネルラが、やはりもじもじ立ち上ったままやはり答えができませんでした。

先生は意外なようにしばらくじっとカムパネルラを見ていましたが、急いで「では。よし。」と云いながら、自分で星図を指しました。
「このぼんやりと白い銀河を大きないい望遠鏡で見ますと、もうたくさんの小さな星に見えるのです。ジョバンニさんそうでしょう。」
ジョバンニはまっ赤になってうなずきました。けれどもいつかジョバンニの眼のなかには涙がいっぱいになりました。そうだ僕は知っていたのだ、勿論カムパネルラも知っている、それはいつかカムパネルラのお父さんの博士のうちでカムパネルラといっしょに読んだ雑誌のなかにあったのだ。それどこでなくカムパネルラは、その雑誌を読むと、すぐお父さんの書斎から巨きな本をもってきて、ぎんがというところをひろげ、まっ黒な頁いっぱいに白い点々のある美しい写真を二人でいつまでも見たのでした。それをカムパネルラが忘れる筈もなかったのに、すぐに返事をしなかったのは、このごろぼくが、朝にも午后にも仕事がつらく、学校に出てももうみんなともはきはき遊ばず、カムパネルラともあんまり物を云わないようになったので、カムパネルラがそれを知って気の毒がってわざと返事をしなかったのだ、そう考えるとたまらないほど、じぶんもカムパネルラもあわれなような気がするのでした。
先生はまた云いました。
「ですからもしもこの天の川がほんとうに川だと考えるなら、その一つ一つの小さな星はみんなその川のそこの砂や砂利の粒にもあたるわけです。またこれを巨きな乳の流れと考えるならもっと天の川とよく似ています。つまりその星はみな、乳のなかにまるで細かにうかんでいる脂油の球にもあたるのです。そんなら何がその川の水にあたるかと云いますと、それは真空という光をある速さで伝えるもので、太陽や地球もやっぱりそのなかに浮んでいるのです。②つまりは私どもも天の川の水のなかに棲んでいるわけです。　そしてその天の川の水のなかから四方を見ると、ちょうど水が深いほど青く見えるように、天の川の底の深く遠いところほど星がたくさん集って見えしたがって白くぼんやり見えるのです。この模型をごらんなさい。」
先生は中にたくさん光る砂のつぶの入った大きな両面の凸レンズを指しました。

「天の川の形はちょうどこんななのです。このいちいちの光るつぶがみんな私どもの太陽と同じようにじぶんで光っている星だと考えます。私どもの太陽がこのほぼ中ごろにあって地球がそのすぐ近くにあるとします。みなさんは夜にこのまん中に立ってこのレンズの中を見まわすとしてごらんなさい。こっちの方はレンズが薄いのでわずかの光る粒即ち星しか見えないのでしょう。こっちやこっちの方はガラスが厚いので、光る粒即ち星がたくさん見えその遠いのはぼうっと白く見えるというこれがつまり今日の銀河の説なのです。③
そんならこのレンズの大きさがどれ位あるかまたその中のさまざまの星についてはもう時間ですからこの次の理科の時間にお話します。④　では今日はその銀河のお祭なのですからみなさんは外へでてよくそらをごらんなさい。ではここまでです。本やノートをおしまいなさい。」

そして教室中はしばらく机の蓋をあけたりしめたり本を重ねたりする音がいっぱいでしたがまもなくみんなはきちんと立って礼をすると教室を出ました。

二、活版所

ジョバンニが学校の門を出るとき、同じ組の七八人は家へ帰らずカムパネルラをまん中にして校庭の隅の桜の木のところに集まっていました。それはこんやの星祭に青いあかりをこしらえて川へ流す烏瓜を取りに行く相談らしかったのです。

けれどもジョバンニは手を大きく振ってどしどし学校の門を出て来ました。すると町の家々ではこんやの銀河の祭りにいちいの葉の玉をつるしたりひのきの枝にあかりをつけたりいろいろ仕度をしているのでした。

家へは帰らずジョバンニが町を三つ曲ってある大きな活版処にはいってすぐ入口の計算台に居ただぶだぶの白いシャツを着た人におじぎをしてジョバンニは靴をぬいで上りますと、突き当りの大きな扉をあけました。中にはまだ昼なのに電燈がついてたくさんの輪転器がばたりばたりとまわり、きれで頭をしばったりラムプシェードをかけたりした人たちが、何か歌うように読んだり数えたりしながらたくさん働いて居りました。

ジョバンニはすぐ入口から三番目の高い卓子に座った人の所へ行っておじぎをしました。その人はしばらく棚をさがしてから、

「これだけ拾って行けるかね。」と云いながら、一枚の紙切れを渡しました。ジョバンニはその人の卓子の足もとから一つの小さな平たい函をとりだして向うの電燈のたくさんついた、たてかけてある壁の隅の所へしゃがみ込むと小さなピンセットでまるで粟粒ぐらいの活字を次から次と拾いはじめました。青い胸あてをした人がジョバンニのうしろを通りながら、

「よう、虫めがね君、お早う。」と云いますと、近くの四五人の人たちが声もたてずこっちも向かずに冷くわらいました。

ジョバンニは何べんも眼を拭いながら活字をだんだんひろいました。

六時がうってしばらくたったころ、ジョバンニは拾った活字をいっぱいに入れた平たい箱をもういちど手にもった紙きれと引き合せてから、さっきの卓子の人へ持って来ました。その人は黙ってそれを受け取って微かにうなずきました。

ジョバンニはおじぎをすると扉をあけてさっきの計算台のところに来ました。するとさっきの白服を着た人がやっぱりだまって小さな銀貨を一つジョバンニに渡しました。ジョバンニは俄かに顔いろがよくなって威勢よくおじぎをすると台の下に置いた鞄をもっておもてへ飛びだしました。それから元気よく口笛を吹きながらパン屋へ寄ってパンの塊を一つと角砂糖を一袋買いますと一目散に走りだしました。

三、家

ジョバンニが勢よく帰って来たのは、ある裏町の小さな家でした。その三つならんだ入口の一番左側には空箱に紫いろのケールやアスパラガスが植えてあって小さな二つの窓には日覆いが下りたままになっていました。

「お母さん。いま帰ったよ。工合悪くなかったの。」ジョバンニは靴をぬぎながら云いました。

「ああ、ジョバンニ、お仕事がひどかったろう。今日は涼しくてね。わたしはずうっと工合がいいよ。」

ジョバンニは玄関を上って行きますとジョバンニのお母さんがすぐ入口の室に白い巾を被って寝んでいたのでした。ジョバンニは窓をあけました。

「お母さん。今日は角砂糖を買ってきたよ。牛乳に入れてあげようと思っ

て。」
「ああ、お前さきにおあがり。あたしはまだほしくないんだから。」
「お母さん。姉さんはいつ帰ったの。」
「ああ三時ころ帰ったよ。みんなそこらをしてくれてね。」
「お母さんの牛乳は来ていないんだろうか。」
「来なかったろうかねえ。」
「ぼく行ってとって来よう。」
「ああああたしはゆっくりでいいんだからお前さきにおあがり、姉さんがね、トマトで何かこしらえてそこへ置いて行ったよ。」
「ではぼくたべよう。」
　ジョバンニは窓のところからトマトの皿をとってパンといっしょにしばらくむしゃむしゃたべました。
「ねえお母さん。ぼくお父さんはきっと間もなく帰ってくると思うよ。」
「ああああたしもそう思う。けれどもおまえはどうしてそう思うの。」
「だって今朝の新聞に今年は北の方の漁は大へんよかったと書いてあったよ。」
「ああだけどねえ、お父さんは漁へ出ていないかもしれない。」
「きっと出ているよ。お父さんが監獄へ入るようなそんな悪いことをした筈がないんだ。この前お父さんが持ってきて学校へ寄贈した巨きな蟹の甲らだのとなかいの角だの今だってみんな標本室にあるんだ。六年生なんか授業のとき先生がかわるがわる教室へ持って行くよ。一昨年修学旅行で〔以下数文字分空白〕
「お父さんはこの次はおまえにラッコの上着をもってくるといったねえ。」
「みんながぼくにあうとそれを云うよ。ひやかすように云うんだ。」
「おまえに悪口を云うの。」
「うん、けれどもカムパネルラなんか決して云わない。カムパネルラはみんながそんなことを云うときは気の毒そうにしているよ。」
「あの人はうちのお父さんとはちょうどおまえたちのように小さいときからのお友達だったそうだよ。」

「ああだからお父さんはぼくをつれてカムパネルラのうちへもつれて行ったよ。あのころはよかったなあ。ぼくは学校から帰る途中たびたびカムパネルラのうちに寄った。カムパネルラのうちにはアルコールラムプで走る汽車があったんだ。レールを七つ組み合せると円くなってそれに電柱や信号標もついていて信号標のあかりは汽車が通るときだけ青くなるようになっていたんだ。いつかアルコールがなくなったとき石油をつかったら、罐がすっかり煤けたよ。」

④-2

「そうかねえ。」

「いまも毎朝新聞をまわしに行くよ。けれどもいつでも家中まだしぃんとしているからな。」

「早いからねえ。」

「ザウエルという犬がいるよ。しっぽがまるで箒のようだ。ぼくが行くと鼻を鳴らしてついてくるよ。ずうっと町の角までついてくる。もっとついてくることもあるよ。今夜はみんなで烏瓜のあかりを川へながしに行くんだって。きっと犬もついて行くよ。」

「そうだ。今晩は銀河のお祭だねえ。」

「うん。ぼく牛乳をとりながら見てくるよ。」

「ああ行っておいで。川へははいらないでね。」

「ああぼく岸から見るだけなんだ。一時間で行ってくるよ。」

「もっと遊んでおいで。カムパネルラさんと一緒なら心配はないから。」

「ああきっと一緒だよ。お母さん、窓をしめて置こうか。」

「ああ、どうか。もう涼しいからね」

ジョバンニは立って窓をしめお皿やパンの袋を片附けると勢よく靴をはいて「では一時間半で帰ってくるよ。」と云いながら暗い戸口を出ました。

四、ケンタウル祭の夜

ジョバンニは、口笛を吹いているようなさびしい口付きで、檜のまっ黒にならんだ町の坂を下りて来たのでした。

坂の下に大きな一つの街燈が、青白く立派に光って立っていました。ジョバンニが、どんどん電燈の方へ下りて行きますと、いままでばけもののように、長くぼんやり、うしろへ引いていたジョバンニの影ぼうしは、だんだん濃く黒くはっきりなって、足をあげたり手を振ったり、ジョバンニの横の方へまわって来るのでした。
（ぼくは立派な機関車だ。ここは勾配だから速いぞ。ぼくはいまその電燈を通り越す。そうら、こんどはぼくの影法師はコムパスだ。あんなにくるっとまわって、前の方へ来た。）
とジョバンニが思いながら、大股にその街燈の下を通り過ぎたとき、いきなりひるまのザネリが、新らしいえりの尖ったシャツを着て電燈の向う側の暗い小路から出て来て、ひらっとジョバンニとすれちがいました。
「ザネリ、烏瓜ながしに行くの。」ジョバンニがまだそう云ってしまわないうちに、
「ジョバンニ、お父さんから、らっこの上着が来るよ。」その子が投げつけるようにうしろから叫びました。
　ジョバンニは、ばっと胸がつめたくなり、そこら中きぃんと鳴るように思いました。
「何だい。ザネリ。」とジョバンニは高く叫び返しましたがもうザネリは向うのひばの植った家の中へはいっていました。
「ザネリはどうしてぼくがなんにもしないのにあんなことを云うのだろう。走るときはまるで鼠のようなくせに。ぼくがなんにもしないのにあんなことを云うのはザネリがばかなからだ。」
　ジョバンニは、せわしくいろいろのことを考えながら、さまざまの灯や木の枝で、すっかりきれいに飾られた街を通って行きました。時計屋の店には明るくネオン燈がついて、一秒ごとに石でこさえたふくろうの赤い眼が、くるっくるっとうごいたり、いろいろな宝石が海のような色をした厚い硝子の盤に載って星のようにゆっくり循ったり、また向う側から、銅の人馬がゆっくりこっちへまわって来たりするのでした。そのまん中に円い黒い星座早見が青いアスパラガスの葉で飾ってありました。
　ジョバンニはわれを忘れて、その星座の図に見入りました。
　それはひる学校で見たあの図よりはずうっと小さかったのですがその日と時

間に合せて盤をまわすと、そのとき出ているそらがそのまま楕円形のなかにめぐってあらわれるようになって居りやはりそのまん中には上から下へかけて銀河がぼうとけむったような帯になってその下の方ではかすかに爆発して湯気でもあげているように見えるのでした。またそのうしろには三本の脚のついた小さな望遠鏡が黄いろに光って立っていましたしいちばんうしろの壁には空じゅうの星座をふしぎな獣や蛇や魚や瓶の形に書いた大きな図がかかっていました。ほんとうにこんなような蝎だの勇士だのそらにぎっしり居るだろうか、ああぼくはその中をどこまでも歩いて見たいと思ってたりしてしばらくぼんやり立って居ました。

それから俄かにお母さんの牛乳のことを思いだしてジョバンニはその店をはなれました。そしてきゅうくつな上着の肩を気にしながらそれでもわざと胸を張って大きく手を振って町を通って行きました。

空気は澄みきって、まるで水のように通りや店の中を流れましたし、街燈はみなまっ青なもみや楢の枝で包まれ、電気会社の前の六本のプラタヌスの木などは、中に沢山の豆電燈がついて、ほんとうにそこらは人魚の都のように見えるのでした。子どもらは、みんな新らしい折のついた着物を着て、星めぐりの口笛を吹いたりⓐ

「ケンタウルス、露をふらせ。」と叫んで走ったり、青いマグネシヤの花火を燃したりして、たのしそうに遊んでいるのでした。けれどもジョバンニは、いつかまた深く首を垂れて、そこらのにぎやかさとはまるでちがったことを考えながら、牛乳屋の方へ急ぐのでした。

ジョバンニは、いつか町はずれのポプラの木が幾本も幾本も、高く星ぞらに浮んでいるところに来ていました。その牛乳屋の黒い門を入り、牛の匂のするうすくらい台所の前に立って、ジョバンニは帽子をぬいで「今晩は、」と云いましたら、家の中はしぃんとして誰も居たようではありませんでした。

「今晩は、ごめんなさい。」ジョバンニはまっすぐに立ってまた叫びました。するとしばらくたってから、年老った女の人が、どこか工合が悪いようにそろそろと出て来て何か用かと口の中で云いました。

「あの、今日、牛乳が僕とこへ来なかったので、貰いにあがったんです。」ジョバンニが一生けん命勢よく云いました。
「いま誰もいないでわかりません。あしたにして下さい。」
　その人は、赤い眼の下のとこを擦りながら、ジョバンニを見おろして云いました。
「おっかさんが病気なんですから今晩でないと困るんです。」
「ではもう少したってから来てください。」その人はもう行ってしまいそうでした。
「そうですか。ではありがとう。」ジョバンニは、お辞儀をして台所から出ました。
　十字になった町のかどを、まがろうとしましたら、向うの橋へ行く方の雑貨店の前で、黒い影やぼんやり白いシャツが入り乱れて、六七人の生徒らが、口笛を吹いたり笑ったりして、めいめい烏瓜の燈火を持ってやって来るのを見ました。その笑い声も口笛も、みんな聞きおぼえのあるものでした。ジョバンニの同級の子供らだったのです。ジョバンニは思わずどきっとして戻ろうとしましたが、思い直して、一そう勢よくそっちへ歩いて行きました。
「川へ行くの。」ジョバンニが云おうとして、少しのどがつまったように思ったとき、
「ジョバンニ、らっこの上着が来るよ。」さっきのザネリがまた叫びました。
「ジョバンニ、らっこの上着が来るよ。」すぐみんなが、続いて叫びました。
ジョバンニはまっ赤になって、もう歩いているかもわからず、急いで行きすぎようとしましたら、そのなかにカムパネルラが居たのです。カムパネルラは気の毒そうに、だまって少しわらって、怒らないだろうかというようにジョバンニの方を見ていました。
　ジョバンニは、遁げるようにその眼を避け、そしてカムパネルラのせいの高いかたちが過ぎて行って間もなく、みんなはてんでに口笛を吹きました。町かどを曲るとき、ふりかえって見ましたら、ザネリがやはりふりかえって見ていました。そしてカムパネルラもまた、高く口笛を吹いて向うにぼんやり見える橋の方へ歩いて行ってしまったのでしたⓑ。ジョバンニは、なんとも云えずさびしくなって、いきなり走り出しました。すると耳に手をあてて、わああと云

いながら片足でぴょんぴょん跳んでいた小さな子供らは、ジョバンニが面白くてかけるのだと思ってわあいと叫びました。まもなくジョバンニは黒い丘の方へ急ぎました。

五、天気輪の柱

牧場のうしろはゆるい丘になって、その黒い平らな頂上は、北の大熊星の下に、ぼんやりふだんよりも低く連って見えました。

ジョバンニは、もう露の降りかかった小さな林のこみちを、どんどんのぼって行きました。まっくらな草や、いろいろな形に見えるやぶのしげみの間を、その小さなみちが、一すじ白く星あかりに照らしだされてあったのです。草の中には、ぴかぴか青びかりを出す小さな虫もいて、ある葉は青くすかし出され、ジョバンニは、さっきみんなの持って行った烏瓜のあかりのようだとも思いました。

そのまっ黒な、松や楢の林を越えると、俄かにがらんと空がひらけて、天の川がしらしらと南から北へ亘っているのが見え、また頂の、天気輪の柱も見わけられたのでした。つりがねそうか野ぎくかの花が、そこらいちめんに、夢の中からでも薫りだしたというように咲き、鳥が一疋、丘の上を鳴き続けながら通って行きました。

ジョバンニは、頂の天気輪の柱の下に来て、どかどかするからだを、つめたい草に投げました。

町の灯は、暗の中をまるで海の底のお宮のけしきのようにともり、子供らの歌う声や口笛、きれぎれの叫び声もかすかに聞えて来るのでした。風が遠くで鳴り、丘の草もしずかにそよぎ、ジョバンニの汗でぬれたシャツもつめたく冷されました。ジョバンニは町のはずれから遠く黒くひろがった野原を見わたしました。

そこから汽車の音が聞えてきました。その小さな列車の窓は一列小さく赤く見え、その中にはたくさんの旅人が、苹果を剥いたり、わらったり、いろいろな風にしていると考えますと、ジョバンニは、もう何とも云えずかなしくなって、また眼をそらに挙げました。

あああの白いそらの帯がみんな星だというぞ。

ところがいくら見ていても、そのそらはひる先生の云ったような、がらんとした冷いとこだとは思われませんでした。それどころでなく、見れば見るほど、そこは小さな林や牧場やらある野原のように考えられて仕方なかったのです。そしてジョバンニは青い琴の星が、三つにも四つにもなって、ちらちら瞬き、脚が何べんも出たり引っ込んだりして、とうとう蕈のように長く延びるのを見ました。またすぐ眼の下のまちまでがやっぱりぼんやりしたたくさんの星の集りか一つの大きなけむりかのように見えるように思いました。

六、銀河ステーション

そしてジョバンニはすぐうしろの天気輪の柱がいつかぼんやりした三角標の形になって、しばらく蛍のように、ぺかぺか消えたりともったりしているのを見ました。それはだんだんはっきりして、とうとうりんとうごかないようになり、濃い鋼青のそらの野原にたちました。いま新らしく灼いたばかりの青い鋼の板のような、そらの野原に、まっすぐにすきっと立ったのです。

するとどこかで、ふしぎな声が、銀河ステーション、銀河ステーションと云う声がしたと思うといきなり眼の前が、ぱっと明るくなって、まるで億万の蛍烏賊の火を一ぺんに化石させて、そら中に沈めたという工合、またダイアモンド会社で、ねだんがやすくならないために、わざと穫れないふりをして、かくして置いた金剛石を、誰かがいきなりひっくりかえして、ばら撒いたという風に、眼の前がさあっと明るくなって、ジョバンニは、思わず何べんも眼を擦ってしまいました。気がついてみると、さっきから、ごとごとごとごと、ジョバンニの乗っている小さな列車が走りつづけていたのでした。⑤　ほんとうにジョバンニは、夜の軽便鉄道の、小さな黄いろの電燈のならんだ車室に、窓から外を見ながら座っていたのです。車室の中は、青い天蚕絨を張った腰掛けが、まるでがら明きで、向うの鼠いろのワニスを塗った壁には、真鍮の大きなぼたんが二つ光っているのでした。

すぐ前の席に、ぬれたようにまっ黒な上着を着た、せいの高い子供が、窓から頭を出して外を見ているのに気が付きました。そしてそのこどもの肩のあたりが、どうも見たことのあるような気がして、そう思うと、もうどうしても誰だかわかりたくて、たまらなくなりました。いきなりこっちも窓から顔を出そうとしたとき、俄かにその子供が頭を引っ込めて、こっちを見ました。

　それはカムパネルラだったのです。

　ジョバンニが、カムパネルラ、きみは前からここに居たのと云おうと思ったとき、カムパネルラが

「みんなはねずいぶん走ったけれども遅れてしまったよ。ザネリもね、ずいぶん走ったけれども追いつかなかった。」と云いました。

　ジョバンニは、（そうだ、ぼくたちはいま、いっしょにさそって出掛けたのだ。）とおもいながら、

「どこかで待っていようか」と云いました。するとカムパネルラは

「ザネリはもう帰ったよ。お父さんが迎いにきたんだ。」

　カムパネルラは、なぜかそう云いながら、少し顔いろが青ざめて、どこか苦しいというふうでした。するとジョバンニも、なんだかどこかに、何か忘れたものがあるというような、おかしな気持ちがしてだまってしまいました。

　ところがカムパネルラは、窓から外をのぞきながら、もうすっかり元気が直って、勢よく云いました。

「ああしまった。ぼく、水筒を忘れてきた。スケッチ帳も忘れてきた。けれど構わない。もうじき白鳥の停車場だから。ぼく、白鳥を見るなら、ほんとうにすきだ。川の遠くを飛んでいたって、ぼくはきっと見える。」そして、カムパネルラは、円い板のようになった地図を、しきりにぐるぐるまわして見ていました。まったくその中に、白くあらわされた天の川の左の岸に沿って一条の鉄道線路が、南へ南へとたどって行くのでした。そしてその地図の立派なことは、夜のようにまっ黒な盤の上に、一一の停車場や三角標、泉水や森が、青や橙や緑や、うつくしい光でちりばめられてありました。ジョバンニはなんだかその地図をどこかで見たようにおもいました。

「この地図はどこで買ったの。黒曜石でできてるねえ。」

　ジョバンニが云いました。

「銀河ステーションで、もらったんだ。君もらわなかったの。」

「ああ、ぼく銀河ステーションを通ったろうか。いまぼくたちの居るとこ、ここだろう。」

ジョバンニは、白鳥と書いてある停車場のしるしの、すぐ北を指しました。
「そうだ。おや、あの河原は月夜だろうか。」
そっちを見ますと、青白く光る銀河の岸に、銀いろの空のすすきが、もうまるでいちめん、風にさらさらさらさら、ゆられてうごいて、波を立てているのでした。
「月夜でないよ。銀河だから光るんだよ。」⑥-1 ジョバンニは云いながら、まるではね上りたいくらい愉快になって、足をこつこつ鳴らし、窓から顔を出して、高く高く星めぐりの口笛を吹きながら一生けん命延びあがって©、その天の川の水を、見きわめようとしましたが、はじめはどうしてもそれが、はっきりしませんでした。けれどもだんだん気をつけて見ると、そのきれいな水は、ガラスよりも水素よりもすきとおって、ときどき眼の加減か、ちらちら紫いろのこまかな波をたてたり、虹のようにぎらっと光ったりしながら、声もなくどんどん流れて行き、野原にはあっちにもこっちにも、燐光の三角標が、うつくしく立っていたのです。⑥-2　遠いものは小さく、近いものは大きく、遠いものは橙や黄いろではっきりし、近いものは青白く少しかすんで、或いは三角形、或いは四辺形、あるいは電や鎖の形、さまざまにならんで、野原いっぱい光っているのでした。ジョバンニは、まるでどきどきして、頭をやけに振りました。するとほんとうに、そのきれいな野原中の青や橙や、いろいろかがやく三角標も、てんでに息をつくように、ちらちらゆれたり顫えたりしました。
「ぼくはもう、すっかり天の野原に来た。」ジョバンニは云いました。
「それにこの汽車石炭をたいていないねえ。」ジョバンニが左手をつき出して窓から前の方を見ながら云いました。
「アルコールか電気だろう。」カムパネルラが云いました。
ごとごとごとごと、その小さなきれいな汽車は、そらのすすきの風にひるがえる中を、天の川の水や、三角点の青じろい微光の中を、どこまでもどこまでもと、走って行くのでした。
「ああ、りんどうの花が咲いている。もうすっかり秋だねえ。」カムパネルラが、窓の外を指さして云いました。
線路のへりになったみじかい芝草の中に、月長石ででも刻まれたような、すばらしい紫のりんどうの花が咲いていました。
「ぼく、飛び下りて、あいつをとって、また飛び乗ってみせようか。」ジョバンニは胸を躍らせて云いました。
「もうだめだ。あんなにうしろへ行ってしまったから。」
　カムパネルラが、そう云ってしまうかしまわないうち、次のりんどうの花が、いっぱいに光って過ぎて行きました。
　と思ったら、もう次から次から、たくさんのきいろな底をもったりんどうの花のコップが、湧くように、雨のように、眼の前を通り、三角標の列は、けむるように燃えるように、いよいよ光って立ったのです。

七、北十字とプリオシン海岸

「おっかさんは、ぼくをゆるして下さるだろうか。」⑥-3
　いきなり、カムパネルラが、思い切ったというように、少しどもりながら、急きこんで云いました。
　ジョバンニは、
（ああ、そうだ、ぼくのおっかさんは、あの遠い一つのちりのように見える橙いろの三角標のあたりにいらっしゃって、いまぼくのことを考えているんだった。）と思いながら、ぼんやりしてだまっていました。
「ぼくはおっかさんが、ほんとうに幸になるなら、どんなことでもする。けれども、いったいどんなことが、おっかさんのいちばんの幸なんだろう。」カムパネルラは、なんだか、泣きだしたいのを、一生けん命こらえているようでした。⑥-4
「きみのおっかさんは、なんにもひどいことないじゃないの。」ジョバンニはびっくりして叫びました。
「ぼくわからない。けれども、誰だって、ほんとうにいいことをしたら、いちばん幸なんだねえ。だから、おっかさんは、ぼくをゆるして下さると思う。」カムパネルラは、なにかほんとうに決心しているように見えました。⑥-5
　俄かに、車のなかが、ぱっと白く明るくなりました。見ると、もうじつに、金剛石や草の露やあらゆる立派さをあつめたような、きらびやかな銀河の河床の上を水は声もなくかたちもなく流れ、その流れのまん中に、ぼうっと青白く後光の射した一つの島が見えるのでした。その島の平らないただきに、立派な眼もさめるような、白い十字架がたって、それはもう凍った北極の雲で鋳たといったらいいか、すきっとした金いろの円光をいただいて、しずかに永久に立っているのでした。
「ハルレヤ、ハルレヤ。」前からもうしろからも声が起りました。ふりかえって見ると、車室の中の旅人たちは、みなまっすぐにきもののひだを垂れ、黒いバイブルを胸にあてたり、水晶の珠数をかけたりⓕ、どの人もつつましく指を組み合せて、そっちに祈っているのでした。思わず二人もまっすぐに立ちあがりました。カムパネルラの頬は、まるで熟した苹果のあかしのようにうつくしくかがやいて見えました。
そして島と十字架とは、だんだんうしろの方へうつって行きました。
向う岸も、青じろくぽうっと光ってけむり、時々、やっぱりすすきが風にひるがえるらしく、さっとその銀いろがけむって、息でもかけたように見え、また、たくさんのりんどうの花が、草をかくれたり出たりするのは、やさしい狐火のように思われました。
それもほんのちょっとの間、川と汽車との間は、すすきの列でさえぎられ、白鳥の島は、二度ばかり、うしろの方に見えましたが、じきもうずうっと遠く小さく、絵のようになってしまい、またすすきがざわざわ鳴って、とうとうすっかり見えなくなってしまいました。ジョバンニのうしろには、いつから乗っていたのか、せいの高い、黒いかつぎをしたカトリック風の尼さんが、まん円な緑の瞳を、じっとまっすぐに落して、まだ何かことばか声かが、そっちから伝わって来るのを、虔んで聞いているというように見えました。旅人たちはしずかに席に戻り、二人も胸いっぱいのかなしみに似た新らしい気持ちを、何気なくちがった語で、そっと談し合ったのです。
「もうじき白鳥の停車場だねえ。」
「ああ、十一時かっきりには着くんだよ。」
早くも、シグナルの緑の燈と、ぼんやり白い柱とが、ちらっと窓のそとを過ぎ、それから硫黄のほのおのようなくらいぼんやりした転てつ機の前のあかりが窓の下を通り、汽車はだんだんゆるやかになって、間もなくプラットホームの一列の電燈が、うつくしく規則正しくあらわれ、それがだんだん大きくなってひろがって、二人は丁度白鳥停車場の、大きな時計の前に来てとまりました。

さわやかな秋の時計の盤面には、青く灼かれたはがねの二本の針が、くっきり十一時を指しました。みんなは、一ぺんに下りて、車室の中はがらんとなってしまいました。

〔二十分停車〕と時計の下に書いてありました。

「ぼくたちも降りて見ようか。」ジョバンニが云いました。

「降りよう。」

二人は一度にはねあがってドアを飛び出して改札口へかけて行きました。ところが改札口には、明るい紫がかった電燈が、一つ点いているばかり、誰も居ませんでした。そこら中を見ても、駅長や赤帽らしい人の、影もなかったのです。

二人は、停車場の前の、水晶細工のように見える銀杏の木に囲まれた、小さな広場に出ました。そこから幅の広いみちが、まっすぐに銀河の青光の中へ通っていました。

さきに降りた人たちは、もうどこへ行ったか一人も見えませんでした。二人がその白い道を、肩をならべて行きますと、二人の影は、ちょうど四方に窓のある室の中の、二本の柱の影のように、また二つの車輪の輻のように幾本も幾本も四方へ出るのでした。

そして間もなく、あの汽車から見えたきれいな河原に来ました。

カムパネルラは、そのきれいな砂を一つまみ、掌にひろげ、指できしきしさせながら、夢のように云っているのでした。

「この砂はみんな水晶だ。中で小さな火が燃えている。」

「そうだ。」どこでぼくは、そんなこと習ったろうと思いながら、ジョバンニもぼんやり答えていました。⑦

河原の礫は、みんなすきとおって、たしかに水晶や黄玉や、またくしゃくしゃの皺曲をあらわしたのや、また稜から霧のような青白い光を出す鋼玉やらでした。ジョバンニは、走ってその渚に行って、水に手をひたしました。けれどもあやしいその銀河の水は、水素よりももっとすきとおっていたのです。それでもたしかに流れていたことは、二人の手首の、水にひたったとこが、少し水銀いろに浮いたように見え、その手首にぶっつかってできた波は、うつくしい燐光をあげて、ちらちらと燃えるように見えたのでもわかりました。

　川上の方を見ると、すすきのいっぱいに生えている崖の下に、白い岩が、まるで運動場のように平らに川に沿って出ているのでした。そこに小さな五六人の人かげが、何か掘り出すか埋めるかしているらしく、立ったり屈んだり、時々なにかの道具が、ピカッと光ったりしました。

「行ってみよう。」二人は、まるで一度に叫んで、そっちの方へ走りました。その白い岩になった処の入口に、

〔プリオシン海岸〕という、瀬戸物のつるつるした標札が立って、向うの渚には、ところどころ、細い鉄の欄干も植えられ、木製のきれいなベンチも置いてありました。

「おや、変なものがあるよ。」カムパネルラが、不思議そうに立ちどまって、岩から黒い細長いさきの尖ったくるみの実のようなものをひろいました。

「くるみの実だよ。そら、沢山ある。流れて来たんじゃない。岩の中に入ってるんだ。」

「大きいね、このくるみ、倍あるね。こいつはすこしもいたんでない。」⑧-1

「早くあすこへ行って見よう。きっと何か掘ってるから。」

　二人は、ぎざぎざの黒いくるみの実を持ちながら、またさっきの方へ近よって行きました。⑧-2　左手の渚には、波がやさしい稲妻のように燃えて寄せ、右手の崖には、いちめん銀や貝殻でこさえたようなすすきの穂がゆれたのです。

　だんだん近付いて見ると、一人のせいの高い、ひどい近眼鏡をかけ、長靴をはいた学者らしい人が、手帳に何かせわしそうに書きつけながら、鶴嘴をふりあげたり、スコープをつかったりしている、三人の助手らしい人たちに夢中でいろいろ指図をしていました。

「そこのその突起を壊さないように。スコープを使いたまえ、スコープを。おっと、も少し遠くから掘って。いけない、いけない。なぜそんな乱暴をするん

だ。」

見ると、その白い柔らかな岩の中から、大きな大きな青じろい獣の骨が、横に倒れて潰れたという風になって、半分以上掘り出されていました。そして気をつけて見ると、そこらには、蹄の二つある足跡のついた岩が、四角に十ばかり、きれいに切り取られて番号がつけられてありました。

「君たちは参観かね。」その大学士らしい人が、眼鏡をきらっとさせて、こっちを見て話しかけました。⑧-3

「くるみが沢山あったろう。それはまあ、ざっと百二十万年ぐらい前のくるみだよ。ごく新らしい方さ。ここは百二十万年前、第三紀のあとのころは海岸でね、この下からは貝がらも出る。いま川の流れているとこに、そっくり塩水が寄せたり引いたりもしていたのだ。このけものかね、これはボスといってね、おいおい、そこつるはしはよしたまえ。ていねいに鑿でやってくれたまえ。ボスといってね、いまの牛の先祖で、昔はたくさん居たさ。」

「標本にするんですか。」

「いや、証明するに要るんだ。⑧-4 ぼくらからみると、ここは厚い立派な地層で、百二十万年ぐらい前にできたという証拠もいろいろあがるけれども、ぼくらとちがったやつからみてもやっぱりこんな地層に見えるかどうか、あるいは風か水やがらんとした空かに見えやしないかということなのだ。わかったかい。けれども、おいおい。そこもスコープではいけない。そのすぐ下に肋骨が埋もれてる筈じゃないか。」大学士はあわてて走って行きました。

「もう時間だよ。行こう。」カムパネルラが地図と腕時計とをくらべながら云いました。

「ああ、ではわたくしどもは失礼いたします。」ジョバンニは、ていねいに大学士におじぎしました。

「そうですか。いや、さよなら。」大学士は、また忙がしそうに、あちこち歩きまわって監督をはじめました。二人は、その白い岩の上を、一生けん命汽車におくれないように走りました。そしてほんとうに、風のように走れたのです。息も切れず膝もあつくなりませんでした。

こんなにしてかけるなら、もう世界中だってかけれると、ジョバンニは思いました。
　そして二人は、前のあの河原を通り、改札口の電燈がだんだん大きくなって、間もなく二人は、もとの車室の席に座って、いま行って来た方を、窓から見ていました。

八、鳥を捕る人

「ここへかけてもようございますか。」
　がさがさした、けれども親切そうな、大人の声が、二人のうしろで聞えました。
　それは、茶いろの少しぼろぼろの外套を着て、白い巾でつつんだ荷物を、二つに分けて肩に掛けた、赤髯のせなかのかがんだ人でした。
「ええ、いいんです。」ジョバンニは、少し肩をすぼめて挨拶しました。その人は、ひげの中でかすかに微笑いながら荷物をゆっくり網棚にのせました。ジョバンニは、なにか大へんさびしいようなかなしいような気がして、だまって正面の時計を見ていましたら、ずうっと前の方で、硝子の笛のようなものが鳴りました。汽車はもう、しずかにうごいていたのです。カムパネルラは、車室の天井を、あちこち見ていました。その一つのあかりに黒い甲虫がとまってその影が大きく天井にうつっていたのです。赤ひげの人は、なにかなつかしそうにわらいながら、ジョバンニやカムパネルラのようすを見ていました。汽車はもうだんだん早くなって、すすきと川と、かわるがわる窓の外から光りました。
　赤ひげの人が、少しおずおずしながら、二人に訊きました。
「あなた方は、どちらへいらっしゃるんですか。」
「どこまでも行くんです。」ジョバンニは、少しきまり悪そうに答えました。
「それはいいね。この汽車は、じっさい、どこまででも行きますぜ。」
「あなたはどこへ行くんです。」カムパネルラが、いきなり、喧嘩のようにたずねましたので、ジョバンニは、思わずわらいました。すると、向うの席に居た、尖った帽子をかぶり、大きな鍵を腰に下げた人も、ちらっとこっちを見てわらいましたので、カムパネルラも、つい顔を赤くして笑いだしてしまいました。ところがその人は別に怒ったでもなく、頬をぴくぴくしながら返事しました。
「わっしはすぐそこで降ります。わっしは、鳥をつかまえる商売でね。」
「何鳥ですか。」
「鶴や雁です。さぎも白鳥もです。」
「鶴はたくさんいますか。」
「居ますとも、さっきから鳴いてまさあ。聞かなかったのですか。」
「いいえ。」
「いまでも聞えるじゃありませんか。そら、耳をすまして聴いてごらんなさい。」
　二人は眼を挙げ、耳をすましました。ごとごと鳴る汽車のひびきと、すすきの風との間から、ころんころんと水の湧くような音が聞えて来るのでした。
「鶴、どうしてとるんですか。」
「鶴ですか、それとも鷺ですか。」
「鷺です。」ジョバンニは、どっちでもいいと思いながら答えました。
「そいつはな、雑作ない。さぎというものは、みんな天の川の砂が凝って、ぼおっとできるもんですからね、そして始終川へ帰りますからね、⑨-1　川原で待っていて、鷺がみんな、脚をこういう風にして下りてくるとこを、そいつが地べたへつくかつかないうちに、ぴたっと押えちまうんです。するともう鷺は、かたまって安心して死んじまいます。あとはもう、わかり切ってまさあ。押し葉にするだけです。」
「鷺を押し葉にするんですか。標本ですか。」
「標本じゃありません。みんなたべるじゃありませんか。」
「おかしいねえ。」カムパネルラが首をかしげました。
「おかしいも不審もありませんや。そら。」その男は立って、網棚から包みをおろして、手ばやくくるくると解きました。
「さあ、ごらんなさい。いまとって来たばかりです。」
「ほんとうに鷺だねえ。」二人は思わず叫びました。まっ白な、あのさっきの北の十字架のように光る鷺のからだが、十ばかり、少しひらべったくなって、黒い脚をちぢめて、浮彫のようにならんでいたのです。
「眼をつぶってるね。」カムパネルラは、指でそっと、鷺の三日月がたの白い瞑った眼にさわりました。頭の上の槍のような白い毛もちゃんとついていました。
「ね、そうでしょう。」鳥捕りは風呂敷を重ねて、またくるくると包んで紐でくくりました。誰がいったいここらで鷺なんぞ喰べるだろうとジョバンニは思いながら訊きました。
「鷺はおいしいんですか。」
「ええ、毎日注文があります。しかし雁の方が、もっと売れます。雁の方がずっと柄がいいし、第一手数がありませんからな。そら。」鳥捕りは、また別の方の包みを解きました。すると黄と青じろとまだらになって、なにかのあかりのようにひかる雁が、ちょうどさっきの鷺のように、くちばしを揃えて、少し扁べったくなって、ならんでいました。
「こっちはすぐ喰べられます。どうです、少しおあがりなさい。」鳥捕りは、黄いろな雁の足を、軽くひっぱりました。するとそれは、チョコレートででもできているように、すっときれいにはなれました。
「どうです。すこしたべてごらんなさい。」鳥捕りは、それを二つにちぎってわたしました。ジョバンニは、ちょっと喰べてみて、（なんだ、やっぱりこいつはお菓子だ。チョコレートよりも、もっとおいしいけれども、こんな雁が飛んでいるもんか。この男は、どこかそこらの野原の菓子屋だ。けれどもぼくは、このひとをばかにしながら、この人のお菓子をたべているのは、大へん気の毒だ。）とおもいながら、やっぱりぽくぽくそれをたべていました。
「も少しおあがりなさい。」鳥捕りがまた包みを出しました。ジョバンニは、もっとたべたかったのですけれども、
「ええ、ありがとう。」と云って遠慮しましたら、鳥捕りは、こんどは向うの席の、鍵をもった人に出しました。
「いや、商売ものを貰っちゃすみませんな。」その人は、帽子をとりました。
「いいえ、どういたしまして。どうです、今年の渡り鳥の景気は。」
「いや、すてきなもんですよ。一昨日の第二限ころなんか、なぜ燈台の灯を、

規則以外に間〔一字分空白〕させるかって、あっちからもこっちからも、電話で故障が来ましたが、なあに、こっちがやるんじゃなくて、渡り鳥どもが、まっ黒にかたまって、あかしの前を通るのですから仕方ありませんや。わたしぁ、べらぼうめ、そんな苦情は、おれのとこへ持って来たって仕方がねえや、ばさばさのマントを着て脚と口との途方もなく細い大将へやれって、斯う云ってやりましたがね、はっは。」
　すすきがなくなったために、向うの野原から、ぱっとあかりが射して来ました。
「鷺の方はなぜ手数なんですか。」カムパネルラは、さっきから、訊こうと思っていたのです。
「それはね、鷺を喰べるには、」鳥捕りは、こっちに向き直りました。
「天の川の水あかりに、十日もつるして置くかね、そうでなけぁ、砂に三四日うずめなけぁいけないんだ。そうすると、水銀がみんな蒸発して、喰べられるようになるよ。」
「こいつは鳥じゃない。ただのお菓子でしょう。」やっぱりおなじことを考えていたとみえて、カムパネルラが、思い切ったというように、尋ねました。鳥捕りは、何か大へんあわてた風で、
「そうそう、ここで降りなけぁ。」と云いながら、立って荷物をとったと思うと、もう見えなくなっていました。
「どこへ行ったんだろう。⑩-1」
　二人は顔を見合せましたら、燈台守は、にやにや笑って、少し伸びあがるようにしながら、二人の横の窓の外をのぞきました。二人もそっちを見ましたら、たったいまの鳥捕りが、黄いろと青じろの、うつくしい燐光を出す、いちめんのかわらははこぐさの上に立って、まじめな顔をして両手をひろげて、じっとそらを見ていたのです。
「あすこへ行ってる。ずいぶん奇体だねえ。⑩-2 きっとまた鳥をつかまえるとこだねえ。汽車が走って行かないうちに、早く鳥がおりるといいな。」と云った途端、がらんとした桔梗いろの空から、さっき見たような鷺が、まるで雪の降るように、ぎゃあぎゃあ叫びながら、いっぱいに舞いおりて来ました。す

るとあの鳥捕りは、すっかり注文通りだというようにほくほくして、両足をかっきり六十度に開いて立って、鷺のちぢめて降りて来る黒い脚を両手で片っ端から押えて、布の袋の中に入れるのでした。すると鷺は、蛍のように、袋の中でしばらく、青くぺかぺか光ったり消えたりしていましたが、おしまいとうとう、みんなぼんやり白くなって、眼をつぶるのでした。ところが、つかまえられる鳥よりは、つかまえられないで無事に天の川の砂の上に降りるものの方が多かったのです。⑨-2　それは見ていると、足が砂へつくや否や、まるで雪の融けるように、縮まって扁べったくなって、間もなく熔鉱炉から出た銅の汁のように、砂や砂利の上にひろがり、しばらくは鳥の形が、砂についているのでしたが、それも二三度明るくなったり暗くなったりしているうちに、もうすっかりまわりと同じいろになってしまうのでした。

鳥捕りは二十疋ばかり、袋に入れてしまうと、急に両手をあげて、兵隊が鉄砲弾にあたって、死ぬときのような形をしました。と思ったら、もうそこに鳥捕りの形はなくなって、却って、

「ああせいせいした。どうもからだに恰度合うほど稼いでいるくらい、いいことはありませんな。」⑨-3 というききおぼえのある声が、ジョバンニの隣りにしました。見ると鳥捕りは、もうそこでとって来た鷺を、きちんとそろえて、一つずつ重ね直しているのでした。

「どうしてあすこから、いっぺんにここへ来たんですか。」⑩-3 ジョバンニが、なんだかあたりまえのような、あたりまえでないような、おかしな気がして問いました。

「どうしてって、来ようとしたから来たんです。⑩-4 ぜんたいあなた方は、どちらからおいでですか。」

ジョバンニは、すぐ返事しようと思いましたけれども、さあ、ぜんたいどこから来たのか、もうどうしても考えつきませんでした。カムパネルラも、顔をまっ赤にして何か思い出そうとしているのでした。

「ああ、遠くからですね。」鳥捕りは、わかったというように雑作なくうなずきました。

九、ジョバンニの切符

「もうここらは白鳥区のおしまいです。ごらんなさい。あれが名高いアルビレオの観測所です。」

窓の外の、まるで花火でいっぱいのような、あまの川のまん中に、黒い大きな建物が四棟ばかり立って、その一つの平屋根の上に、眼もさめるような、青宝玉と黄玉の大きな二つのすきとおった球が、輪になってしずかにくるくるとまわっていました。黄いろのがだんだん向うへまわって行って、青い小さいのがこっちへ進んで来、間もなく二つのはじは、重なり合って、きれいな緑いろの両面凸レンズのかたちをつくり、それもだんだん、まん中がふくらみ出して、とうとう青いのは、すっかりトパースの正面に来ましたので、緑の中心と黄いろな明るい環とができました。それがまただんだん横へ外れて、前のレンズの形を逆に繰り返し、とうとうすっとはなれて、サファイアは向うへめぐり、黄いろのはこっちへ進み、また丁度さっきのような風になりました。銀河の、かたちもなく音もない水にかこまれて、ほんとうにその黒い測候所が、睡っているように、しずかによこたわったのです。「あれは、水の速さをはかる器械です。水も……。」⑪

鳥捕りが云いかけたとき、

「切符を拝見いたします。」三人の席の横に、赤い帽子をかぶったせいの高い車掌が、いつかまっすぐに立っていて云いました。鳥捕りは、だまってかくしから、小さな紙きれを出しました。車掌はちょっと見て、すぐ眼をそらして、（あなた方のは？）というように、指をうごかしながら、手をジョバンニたちの方へ出しました。

「さあ、」ジョバンニは困って、もじもじしていましたら、カムパネルラは、わけもないという風で、小さな鼠いろの切符を出しました。ジョバンニは、すっかりあわててしまって、もしか上着のポケットにでも、入っていたかとおもいながら、手を入れて見ましたら、何か大きな畳んだ紙きれにあたりました。こんなもの入っていたろうかと思って、急いで出してみましたら、それは四つに折ったはがきぐらいの大きさの緑いろの紙でした。車掌が手を出しているもんですから何でも構わない、やっちまえと思って渡しましたら、車掌はまっすぐに立ち直って叮寧にそれを開いて見ていました。そして読みながら上着のぼたんやなんかしきりに直したりしていましたし燈台看守も下からそれを熱心にのぞいていましたから、ジョバンニはたしかにあれは証明書か何かだったと考えて少し胸が熱くなるような気がしました。
「これは三次空間の方からお持ちになったのですか。」車掌がたずねました。
「何だかわかりません。」もう大丈夫だと安心しながらジョバンニはそっちを見あげてくつくつ笑いました。
「よろしゅうございます。南十字へ着きますのは、次の第三時ころになります。」車掌は紙をジョバンニに渡して向うへ行きました。
　カムパネルラは、その紙切れが何だったか待ち兼ねたというように急いでのぞきこみました。ジョバンニも全く早く見たかったのです。ところがそれはいちめん黒い唐草のような模様の中に、おかしな十ばかりの字を印刷したものでだまって見ていると何だかその中へ吸い込まれてしまうような気がするのでした。すると鳥捕りが横からちらっとそれを見てあわてたように云いました。
「おや、こいつは大したもんですぜ。こいつはもう、ほんとうの天上へさえ行ける切符だ。天上どこじゃない、どこでも勝手にあるける通行券です。⑫ こいつをお持ちになれぁ、なるほど、こんな不完全な幻想第四次の銀河鉄道なんか、どこまででも行ける筈でさあ、あなた方大したもんですね。」
「何だかわかりません。」ジョバンニが赤くなって答えながらそれを又畳んでかくしに入れました。そしてきまりが悪いのでカムパネルラと二人、また窓の外をながめていましたが、その鳥捕りの時々大したもんだというようにちらちらこっちを見ているのがぼんやりわかりました。
「もうじき鷲の停車場だよ。」カムパネルラが向う岸の、三つならんだ小さな青じろい三角標と地図とを見較べて云いました。
　ジョバンニはなんだかわけもわからずににわかにとなりの鳥捕りが気の毒でたまらなくなりました。鷺をつかまえてせいせいしたとよろこんだり、白いきれでそれをくるくる包んだり、ひとの切符をびっくりしたように横目で見てあわててほめだしたり、そんなことを一一考えていると、もうその見ず知らずの鳥捕りのために、ジョバンニの持っているものでも食べるものでもなんでもやってしまいたい、もうこの人のほんとうの幸になるなら自分があの光る天の川の河原に立って百年つづけて立って鳥をとってやってもいいというような気がして、どうしてももう黙っていられなくなりました。ほんとうにあなたのほしいものは一体何ですか、と訊こうとして、それではあんまり出し抜けだから、どうしようかと考えて振り返って見ましたら、そこにはもうあの鳥捕りが居ませんでした。網棚の上には白い荷物も見えなかったのです。また窓の外で足をふんばってそらを見上げて鷺を捕る支度をしているのかと思って、急いでそっちを見ましたが、外はいちめんのうつくしい砂子と白いすすきの波ばかり、あの鳥捕りの広いせなかも尖った帽子も見えませんでした。
「あの人どこへ行ったろう。」カムパネルラもぼんやりそう云っていました。
⑩-5
「どこへ行ったろう。一体どこでまたあうのだろう。僕はどうしても少しあの人に物を言わなかったろう。」
「ああ、僕もそう思っているよ。」
「僕はあの人が邪魔なような気がしたんだ。だから僕は大へんつらい。」ジョバンニはこんな変てこな気もちは、ほんとうにはじめてだし、こんなこと今まで云ったこともないと思いました。⑩-6
「何だか苹果の匂がする。僕いま苹果のこと考えたためだろうか。」カムパネルラが不思議そうにあたりを見まわしました。
「ほんとうに苹果の匂だよ。それから野茨の匂もする。」ジョバンニもそこらを見ましたがやっぱりそれは窓からでも入って来るらしいのでした。いま秋だから野茨の花の匂のする筈はないとジョバンニは思いました。
　そしたら俄かにそこに、つやつやした黒い髪の六つばかりの男の子が赤いジャケツのぼたんもかけずひどくびっくりしたような顔をしてがたがたふるえてはだしで立っていました。隣りには黒い洋服をきちんと着たせいの高い青年が一ぱいに風に吹かれているけやきの木のような姿勢で、男の子の手をしっかりひいて立っていました。
「あら、ここどこでしょう。まあ、きれいだわ。」青年のうしろにもひとり十二ばかりの眼の茶いろな可愛らしい女の子が黒い外套を着て青年の腕にすがっ

て不思議そうに窓の外を見ているのでした。⑬-1
「ああ、ここはランカシャイヤだ。いや、コンネクテカット州だ。いや、ああ、ぼくたちはそらへ来たのだ。わたしたちは天へ行くのです。ごらんなさい。あのしるしは天上のしるしです。もうなんにもこわいことありません。わたくしたちは神さまに召されているのです。」黒服の青年はよろこびにかがやいてその女の子に云いました。けれどもなぜかまた額に深く皺を刻んで、それに大へんつかれているらしく、無理に笑いながら男の子をジョバンニのとなりに座らせました。
　それから女の子にやさしくカムパネルラのとなりの席を指さしました。女の子はすなおにそこへ座って、きちんと両手を組み合せました。
「ぼくおおねえさんのとこへ行くんだよう。」腰掛けたばかりの男の子は顔を変にして燈台看守の向うの席に座ったばかりの青年に云いました。青年は何とも云えず悲しそうな顔をして、じっとその子の、ちぢれてぬれた頭を見ました。女の子は、いきなり両手を顔にあててしくしく泣いてしまいました。
「お父さんやきくよねえさんはまだいろいろお仕事があるのです。けれどももうすぐあとからいらっしゃいます。それよりも、おっかさんはどんなに永く待っていらっしゃったでしょう。わたしの大事なタダシはいまどんな歌をうたっているだろう、雪の降る朝にみんなと手をつないでぐるぐるにわとこのやぶをまわってあそんでいるだろうかと考えたりほんとうに待って心配していらっしゃるんですから、早く行っておっかさんにお目にかかりましょうね。」
「うん、だけど僕、船に乗らなけぁよかったなあ。」
「ええ、けれど、ごらんなさい、そら、どうです、あの立派な川、ね、あすこはあの夏中、ツインクル、ツインクル、リトル、スター　をうたってやすむとき、いつも窓からぼんやり白く見えていたでしょう。あすこですよ。ね、きれいでしょう、あんなに光っています。」⑭
　泣いていた姉もハンケチで眼をふいて外を見ました。青年は教えるようにそっと姉弟にまた云いました。
「わたしたちはもうなんにもかなしいことないのです。わたしたちはこんないいとこを旅して、じき神さまのとこへ行きます。そこならもうほんとうに明るくて匂がよくて立派な人たちでいっぱいです。そしてわたしたちの代りにボートへ乗れた人たちは、きっとみんな助けられて、心配して待っているめいめいのお父さんやお母さんや自分のお家へやら行くのです。さあ、もうじきですから元気を出しておもしろくうたって行きましょう。」青年は男の子のぬれたような黒い髪をなで、みんなを慰めながら、自分もだんだん顔いろがかがやいて来ました。
「あなた方はどちらからいらっしゃったのですか。どうなすったのですか。」さっきの燈台看守がやっと少しわかったように青年にたずねました。青年はかすかにわらいました。
「いえ、氷山にぶっつかって船が沈みましてね、わたしたちはこちらのお父さんが急な用で二ヶ月前一足さきに本国へお帰りになったのであとから発ったのです。私は大学へはいっていて、家庭教師にやとわれていたのです。ところがちょうど十二日目、今日か昨日のあたりです、船が氷山にぶっつかって一ぺんに傾きもう沈みかけました。月のあかりはどこかぼんやりありましたが、霧が非常に深かったのです。ところがボートは左舷の方半分はもうだめになっていましたから、とてもみんなは乗り切らないのです。もうそのうちにも船は沈みますし、私は必死となって、どうか小さな人たちを乗せて下さいと叫びました。近くの人たちはすぐみちを開いてそして子供たちのために祈って呉れました。けれどもそこからボートまでのところにはまだまだ小さな子どもたちや親たちやなんか居て、とても押しのける勇気がなかったのです。それでもわたくしはどうしてもこの方たちをお助けするのが私の義務だと思いましたから前にいる子供らを押しのけようとしました。けれどもまたそんなにして助けてあげるよりはこのまま神のお前にみんなで行く方がほんとうにこの方たちの幸福だとも思いました。それからまたその神にそむく罪はわたくしひとりでしょってぜひとも助けてあげようと思いました。けれどもどうして見ているとそれができないのでした。子どもらばかりボートの中へはなしてやってお母さんが狂気のようにキスを送りお父さんがかなしいのをじっとこらえてまっすぐに立っているなどとてももう腸もちぎれるようでした。そのうち船はもうずんずん沈みますから、私はもうすっかり覚悟してこの人たち二人を抱いて、浮べるだけは浮ぼうとかたまって船の沈むのを待っていました。誰が投げたかライフブイが一つ飛んで来ましたけれども滑ってずうっと向うへ行ってしまいました。私は一生けん命で甲板の格子になったとこをはなして、三人それにしっかりとりつきました。どこからともなく〔約二字分空白〕番の声があがりました。たちまちみんなはいろいろな国語で一ぺんにそれをうたいました。そのとき俄かに大きな音がして私たちは水に落ちもう渦に入ったと思いながらしっかりこの人たちをだいてそれからぼうっとしたと思ったらもうここへ来ていたのです。この方たちのお母さんは一昨年没くなられました。⑮ ええボートはきっと助かったにちがいありません、何せよほど熟練な水夫たちが漕いですばやく船からはなれていましたから。」

そこらから小さないのりの声が聞えジョバンニもカムパネルラもいままで忘れていたいろいろのことをぼんやり思い出して眼が熱くなりました。

（ああ、その大きな海はパシフィックというのではなかったろうか。その氷山の流れる北のはての海で、小さな船に乗って、風や凍りつく潮水や、烈しい寒さとたたかって、たれかが一生けんめいはたらいている。ぼくはそのひとにほんとうに気の毒でそしてすまないような気がする。ぼくはそのひとのさいわいのためにいったいどうしたらいいのだろう。）ジョバンニは首を垂れて、すっかりふさぎ込んでしまいました。

「なにがしあわせかわからないです。ほんとうにどんなつらいことでもそれがただしいみちを進む中でのできごとなら峠の上りも下りもみんなほんとうの幸福に近づく一あしずつですから。」

燈台守がなぐさめていました。

「ああそうです。ただいちばんのさいわいに至るためにいろいろのかなしみもみんなおぼしめしです。」

青年が祈るようにそう答えました。

そしてあの姉弟はもうつかれてめいめいぐったり席によりかかって睡っていました。さっきのあのはだしだった足にはいつか白い柔らかな靴をはいていたのです。

ごとごとごとごと汽車はきらびやかな燐光の川の岸を進みました。向うの方の窓を見ると、野原はまるで幻燈のようでした。百も千もの大小さまざまの三角標、その大きなものの上には赤い点点をうった測量旗も見え、野原のはてはそれらがいちめん、たくさんたくさん集ってぼおっと青白い霧のよう、そこからかまたはもっと向うからかときどきさまざまの形のぼんやりした狼煙のようなものが、かわるがわるきれいな桔梗いろのそらにうちあげられるのでした。じつにそのすきとおった奇麗な風は、ばらの匂でいっぱいでした。
「いかがですか。こういう苹果はおはじめてでしょう。」向うの席の燈台看守がいつか黄金と紅でうつくしくいろどられた大きな苹果を落さないように両手で膝の上にかかえていました。
「おや、どっから来たのですか。立派ですねえ。ここらではこんな苹果ができるのですか。」青年はほんとうにびっくりしたらしく燈台看守の両手にかかえられた一もりの苹果を眼を細くしたり首をまげたりしながらわれを忘れてながめていました。
「いや、まあおとり下さい。どうか、まあおとり下さい。」
　青年は一つとってジョバンニたちの方をちょっと見ました。
「さあ、向うの坊ちゃんがた。いかがですか。おとり下さい。」
　ジョバンニは坊ちゃんといわれたのですこししゃくにさわってだまっていましたがカムパネルラは
「ありがとう、」と云いました。すると青年は自分でとって一つずつ二人に送ってよこしましたのでジョバンニも立ってありがとうと云いました。
　燈台看守はやっと両腕があいたのでこんどは自分で一つずつ睡っている姉弟の膝にそっと置きました。
「どうもありがとう。どこでできるのですか。こんな立派な苹果は。」
　青年はつくづく見ながら云いました。
「この辺ではもちろん農業はいたしますけれども大ていひとりでにいいものができるような約束になって居ります。農業だってそんなに骨は折れはしません。たいてい自分の望む種子さえ播けばひとりでにどんどんできます。米だってパシフィック辺のように殻もないし十倍も大きくて匂もいいのです。けれどもあなたがたのいらっしゃる方なら農業はもうありません。苹果だってお菓子だってかすが少しもありませんからみんなそのひとそのひとによってちがったわずかのいいかおりになって毛あなからちらけてしまうのです。」
　にわかに男の子がぱっちり眼をあいて云いました。
「ああぼくいまお母さんの夢をみていたよ。お母さんがね立派な戸棚や本のあるとこに居てね、ぼくの方を見て手をだしてにこにこにこにこわらったよ。ぼくおっかさん。りんごをひろってきてあげましょうか云ったら眼がさめちゃった。ああここさっきの汽車のなかだねえ。」
「その苹果がそこにあります。このおじさんにいただいたのですよ。」青年が云いました。
「ありがとうおじさん。おや、かおるねえさんまだねてるねえ、ぼくおこしてやろう。ねえさん。ごらん、りんごをもらったよ。おきてごらん。」
　姉はわらって眼をさましまぶしそうに両手を眼にあててそれから苹果を見ました。男の子はまるでパイを喰べるようにもうそれを喰べていました、また折角剥いたそのきれいな皮も、くるくるコルク抜きのような形になって床へ落ちるまでの間にはすうっと、灰いろに光って蒸発してしまうのでした。⑯
　二人はりんごを大切にポケットにしまいました。
　川下の向う岸に青く茂った大きな林が見え、その枝には熟してまっ赤に光る円い実がいっぱい、その林のまん中に高い高い三角標が立って、森の中からはオーケストラベルやジロフォンにまじって何とも云えずきれいな音いろが、とけるように浸みるように風につれて流れて来るのでした。
　青年はぞくっとしてからだをふるうようにしました。
　だまってその譜を聞いていると、そこらにいちめん黄いろやうすい緑の明るい野原か敷物かがひろがり、またまっ白な蝋のような露が太陽の面を擦めて行くように思われました。
「まあ、あの烏。」カムパネルラのとなりのかおると呼ばれた女の子が叫びました。
「からすでない。みんなかささぎだ。」カムパネルラがまた何気なく叱るように叫びましたので、ジョバンニはまた思わず笑い、女の子はきまり悪そうにしました。まったく河原の青じろいあかりの上に、黒い鳥がたくさんたくさんいっぱいに列になってとまってじっと川の微光を受けているのでした。
「かささぎですねえ、頭のうしろのとこに毛がぴんと延びてますから。」青年はとりなすように云いました。
　向うの青い森の中の三角標はすっかり汽車の正面に来ました。そのとき汽車のずうっとうしろの方からあの聞きなれた〔約二字分空白〕番の讃美歌のふしが聞えてきました。よほどの人数で合唱しているらしいのでした。青年はさっと顔いろが青ざめ、たって一ぺんそっちへ行きそうにしましたが思いかえしてまた座りました。かおる子はハンケチを顔にあててしまいました。ジョバンニまで何だか鼻が変になりました。けれどもいつともなく誰ともなくその歌は歌い出されだんだんはっきり強くなりました。思わずジョバンニもカムパネルラも一緒にうたい出したのです。ⓖ
　そして青い橄欖の森が見えない天の川の向うにさめざめと光りながらだんだんうしろの方へ行ってしまいそこから流れて来るあやしい楽器の音ももう汽車のひびきや風の音にすり耗らされてずうっとかすかになりました。
「あ孔雀が居るよ。」
「ええたくさん居たわ。」女の子がこたえました。
　ジョバンニはその小さく小さくなっていまはもう一つの緑いろの貝ぼたんのように見える森の上にさっさっと青じろく時々光ってその孔雀がはねをひろげたりとじたりする光の反射を見ました。
「そうだ、孔雀の声だってさっき聞えた。」カムパネルラがかおる子に云いました。
「ええ、三十疋ぐらいはたしかに居たわ。ハープのように聞えたのはみんな孔雀よ。」女の子が答えました。ジョバンニは俄かに何とも云えずかなしい気がして思わず
「カムパネルラ、ここからはねおりて遊んで行こうよ。」とこわい顔をして云おうとしたくらいでした。
　川は二つにわかれました。そのまっくらな島のまん中に高い高いやぐらが一つ組まれてその上に一人の寛い服を着て赤い帽子をかぶった男が立っていました。そして両手に赤と青の旗をもってそらを見上げて信号しているのでした。

ジョバンニが見ている間その人はしきりに赤い旗をふっていましたが俄かに赤旗をおろしてうしろにかくすようにし青い旗を高く高くあげてまるでオーケストラの指揮者のように烈しく振りました。すると空中にざあっと雨のような音がして何かまっくらなものがいくかたまりもいくかたまりも鉄砲丸のように川の向うの方へ飛んで行くのでした。ジョバンニは思わず窓からからだを半分出してそっちを見あげました。美しい美しい桔梗いろのがらんとした空の下を実に何万という小さな鳥どもが幾組も幾組もめいめいせわしくせわしく鳴いて通って行くのでした。
「鳥が飛んで行くな。」ジョバンニが窓の外で云いました。
「どら、」カムパネルラもそらを見ました。そのときあのやぐらの上のゆるい服の男は俄かに赤い旗をあげて狂気のようにふりうごかしました。するとぴたっと鳥の群は通らなくなりそれと同時にぴしゃぁんという潰れたような音が川下の方で起ってそれからしばらくしいんとしました。と思ったらあの赤帽の信号手がまた青い旗をふって叫んでいたのです。
「いまこそわたれわたり鳥、いまこそわたれわたり鳥。」その声もはっきり聞えました。それといっしょにまた幾万という鳥の群がそらをまっすぐにかけたのです。二人の顔を出しているまん中の窓からあの女の子が顔を出して美しい頬をかがやかせながらそらを仰ぎました。
「まあ、この鳥、たくさんですわねえ、あらまあそらのきれいなこと。」女の子はジョバンニにはなしかけましたけれどもジョバンニは生意気ないやだいと思いながらだまって口をむすんでそらを見あげていました。女の子は小さくほっと息をしてだまって席へ戻りました。カムパネルラが気の毒そうに窓から顔を引っ込めて地図を見ていました。⑬-2
「あの人鳥へ教えてるんでしょうか。」女の子がそっとカムパネルラにたずねました。⑬-3
「わたり鳥へ信号してるんです。きっとどこからかのろしがあがるためでしょう。」カムパネルラが少しおぼつかなそうに答えました。そして車の中はしぃんとなりました。ジョバンニはもう頭を引っ込めたかったのですけれども明るいとこへ顔を出すのがつらかったのでだまってこらえてそのまま立って口笛を吹いていました。
（どうして僕はこんなにかなしいのだろう。僕はもっとこころもちをきれいに大きくもたなければいけない。あすこの岸のずうっと向うにまるでけむりのような小さな青い火が見える。あれはほんとうにしずかでつめたい。僕はあれをよく見てこころもちをしずめるんだ。）ジョバンニは熱って痛いあたまを両手で押えるようにしてそっちの方を見ました。（ああほんとうにどこまでもどこまでも僕といっしょに行くひとはないだろうか。カムパネルラだってあんな女の子とおもしろそうに談しているし僕はほんとうにつらいなあ。）ジョバンニの眼はまた泪でいっぱいになり天の川もまるで遠くへ行ったようにぼんやり白く見えるだけでした。

そのとき汽車はだんだん川からはなれて崖の上を通るようになりました。向う岸もまた黒いいろの崖が川の岸を下流に下るにしたがってだんだん高くなって行くのでした。そしてちらっと大きなとうもろこしの木を見ました。その葉はぐるぐるに縮れ葉の下にはもう美しい緑いろの大きな苞が赤い毛を吐いて真珠のような実もちらっと見えたのでした。それはだんだん数を増して来てもういまは列のように崖と線路との間にならび思わずジョバンニが窓から顔を引っ込めて向う側の窓を見ましたときは美しいそらの野原の地平線のはてまでその大きなとうもろこしの木がほとんどいちめんに植えられてさやさや風にゆらぎその立派なちぢれた葉のさきからはまるでひるの間にいっぱい日光を吸った金剛石のように露がいっぱいについて赤や緑やきらきら燃えて光っているのでした。カムパネルラが「あれとうもろこしだねえ」とジョバンニに云いましたけれどもジョバンニはどうしても気持がなおりませんでしたからただぶっきり棒に野原を見たまま「そうだろう。」と答えました。そのとき汽車はだんだんしずかになっていくつかのシグナルとてんてつ器の灯を過ぎ小さな停車場にとまりました。

その正面の青じろい時計はかっきり第二時を示しその振子は風もなくなり汽車もうごかずしずかなしずかな野原のなかにカチッカチッと正しく時を刻んで行くのでした。

そしてまったくその振子の音のたえまを遠くの遠くの野原のはてから、かすかなかすかな旋律が糸のように流れて来るのでした。「新世界交響楽だわ」姉がひとりごとのようにこっちを見ながらそっと云いました。ⓗ 全くもう車の中ではあの黒服の丈高い青年も誰もみんなやさしい夢を見ているのでした。

（こんなしずかないいとこで僕はどうしてもっと愉快(ゆかい)になれないだろう。どうしてこんなにひとりさびしいのだろう。けれどもカムパネルラなんかあんまりひどい、僕といっしょに汽車に乗っていながら まるであんな女の子とばかり談しているんだもの。僕はほんとうにつらい。）⑬-4 ジョバンニはまた両手で顔を半分かくすようにして向うの窓のそとを見つめていました。すきとおった硝子のような笛が鳴って汽車はしずかに動き出し、カムパネルラもさびしそうに星めぐりの口笛を吹きました。ⓓ

「ええ、ええ、もうこの辺はひどい高原ですから。」うしろの方で誰かとしよりらしい人のいま眼がさめたという風ではきはき談している声がしました。

「とうもろこしだって棒で二尺も孔をあけておいてそこへ播かないと生えないんです。」

「そうですか。川まではよほどありましょうかねえ、」

「ええええ河までは二千尺から六千尺あります。もうまるでひどい峡谷になっているんです。」

そうそうここはコロラドの高原じゃなかったろうか、ジョバンニは思わずそう思いました。カムパネルラはまださびしそうにひとり口笛を吹き、女の子はまるで絹で包んだ苹果のような顔いろをしてジョバンニの見る方を見ているのでした。突然とうもろこしがなくなって巨きな黒い野原がいっぱいにひらけました。新世界交響楽はいよいよはっきり地平線のはてから湧きそのまっ黒な野原のなかを一人のインデアンが白い鳥の羽根を頭につけたくさんの石を腕と胸にかざり小さな弓に矢を番えて一目散に汽車を追って来るのでした。ⓘ。

「あら、インデアンですよ。インデアンですよ。ごらんなさい。」

黒服の青年も眼をさましました。ジョバンニもカムパネルラも立ちあがりました。

「走って来るわ、あら、走って来るわ。追いかけているんでしょう。」

「いいえ、汽車を追ってるんじゃないんですよ。猟をするか踊るかしてるんですよ。」青年はいまどこに居るか忘れたという風にポケットに手を入れて立ちながら云いました。

まったくインデアンは半分は踊っているようでした。第一かけるにしても足のふみようがもっと経済もとれ本気にもなれそうでした。にわかにくっきり白いその羽根は前の方へ倒れるようになりインデアンはぴたっと立ちどまってすばやく弓を空にひきました。そこから一羽の鶴がふらふらと落ちて来てまた走り出したインデアンの大きくひろげた両手に落ちこみました。インデアンはうれしそうに立ってわらいました。⑨-4　そしてその鶴をもってこっちを見ている影ももうどんどん小さく遠くなり電しんばしらの碍子がきらっきらっと続いて二つばかり光ってまたとうもろこしの林になってしまいました。こっち側の窓を見ますと汽車はほんとうに高い高い崖の上を走っていてその谷の底には川がやっぱり幅ひろく明るく流れていたのです。

「ええ、もうこの辺から下りです。何せこんどは一ぺんにあの水面までおりて行くんですから容易じゃありません。この傾斜があるもんですから汽車は決して向うからこっちへは来ないんです。そら、もうだんだん早くなったでしょう。」さっきの老人らしい声が云いました。

どんどんどんどん汽車は降りて行きました。崖のはじに鉄道がかかるときは川が明るく下にのぞけたのです。ジョバンニはだんだんこころもちが明るくなって来ました。汽車が小さな小屋の前を通ってその前にしょんぼりひとりの子供が立ってこっちを見ているときなどは思わずほうと叫びました。⑭-1

どんどんどんどん汽車は走って行きました。室中のひとたちは半分うしろの方へ倒れるようになりながら腰掛にしっかりしがみついていました。ジョバンニは思わずカムパネルラとわらいました。⑭-2 もうそして天の川は汽車のすぐ横手をいままでよほど激しく流れて来たらしくときどきちらちら光ってながれているのでした。うすあかい河原なでしこの花があちこち咲いていました。汽車はようやく落ち着いたようにゆっくりと走っていました。

向うとこっちの岸に星のかたちとつるはしを書いた旗がたっていました。

「あれ何の旗だろうね。」ジョバンニがやっとものを云いました。

「さあ、わからないねえ、地図にもないんだもの。鉄の舟がおいてあるねえ。」
「ああ。」
「橋を架けるとこじゃないんでしょうか。」女の子が云いました。
「あああれ工兵の旗だねえ。架橋演習をしてるんだ。けれど兵隊のかたちが見えないねえ。」
　その時向う岸ちかくの少し下流の方で見えない天の川の水がぎらっと光って柱のように高くはねあがりどぉと烈しい音がしました。
「発破だよ、発破だよ。」カムパネルラはこおどりしました。⑭-3
　その柱のようになった水は見えなくなり大きな鮭や鱒がきらっきらっと白く腹を光らせて空中に抛り出されて円い輪を描いてまた水に落ちました。ジョバンニはもうはねあがりたいくらい気持が軽くなって云いました。
「空の工兵大隊だ。どうだ、鱒やなんかがまるでこんなになってはねあげられたねえ。僕こんな愉快な旅はしたことない。いいねえ。」⑭-4　「あの鱒なら近くで見たらこれくらいあるねえ、たくさんさかな居るんだな、この水の中に。」
「小さなお魚もいるんでしょうか。」女の子が談につり込まれて云いました。
「居るんでしょう。大きなのが居るんだから小さいのもいるんでしょう。けれど遠くだからいま小さいの見えなかったねえ。」ジョバンニはもうすっかり機嫌が直って面白そうにわらって女の子に答えました。⑭-5
「あれきっと双子のお星さまのお宮だよ。」男の子がいきなり窓の外をさして叫びました。
　右手の低い丘の上に小さな水晶ででもこさえたような二つのお宮がならんで立っていました。
「双子のお星さまのお宮って何だい。」
「あたし前になんべんもお母さんから聴いたわ。ちゃんと小さな水晶のお宮で二つならんでいるからきっとそうだわ。」
「はなしてごらん。双子のお星さまが何したっての。」
「ぼくも知ってらい。双子のお星さまが野原へ遊びにでてからすと喧嘩したんだろう。」

「そうじゃないわよ。あのね、天の川の岸にね、おっかさんお話なすったわ、……」
「それから彗星がギーギーフーギーギーフーて云って来たねえ。」
「いやだわたあちゃんそうじゃないわよ。それはべつの方だわ。」
「するとあすこにいま笛を吹いて居るんだろうか。」
「いま海へ行ってらあ。」
「いけないわよ。もう海からあがっていらっしゃったのよ。」
「そうそう。ぼく知ってらあ、ぼくおはなししよう。」

川の向う岸が俄かに赤くなりました。楊の木や何かもまっ黒にすかし出され見えない天の川の波もときどきちらちら針のように赤く光りました。まったく向う岸の野原に大きなまっ赤な火が燃されその黒いけむりは高く桔梗いろのつめたそうな天をも焦がしそうでした。ルビーよりも赤くすきとおりリチウムよりもうつくしく酔ったようになってその火は燃えているのでした。
「あれは何の火だろう。あんな赤く光る火は何を燃やせばできるんだろう。」ジョバンニが云いました。
「蝎の火だな。」カムパネルラが又地図と首っ引きして答えました。⑰
「あら、蝎の火のことならあたし知ってるわ。」
「蝎の火ってなんだい。」ジョバンニがききました。
「蝎がやけて死んだのよ。その火がいまでも燃えてるってあたし何べんもお父さんから聴いたわ。」
「蝎って、虫だろう。」
「ええ、蝎は虫よ。だけどいい虫だわ。」
「蝎いい虫じゃないよ。僕博物館でアルコールにつけてあるの見た。尾にこんなかぎがあってそれで螫されると死ぬって先生が云ったよ。」
「そうよ。だけどいい虫だわ、お父さん斯う云ったのよ。むかしのバルドラの野原に一ぴきの蝎がいて小さな虫やなんか殺してたべて生きていたんですって。するとある日いたちに見附かって食べられそうになったんですって。さそりは一生けん命遁げて遁げたけどとうとういたちに押えられそうになったわ、そのときいきなり前に井戸があってその中に落ちてしまったわ、もうどうしてもあがられないでさそりは溺れはじめたのよ。そのときさそりは斯う云ってお祈りしたというの、ああ、わたしはいままでいくつのものの命をとったかわからない、そしてその私がこんどいたちにとられようとしたときはあんなに一生けん命にげた。それでもとうとうこんなになってしまった。ああなんにもあてにならない。どうしてわたしはわたしのからだをだまっていたちに呉れてやらなかったろう。そしたらいたちも一日生きのびたろうに。どうか神さま。私の心をごらん下さい。こんなにむなしく命をすてずどうかこの次にはまことのみんなの幸のために私のからだをおつかい下さい。って云ったというの。そしたらいつか蝎はじぶんのからだがまっ赤なうつくしい火になって燃えてよるのやみを照らしているのを見たって。いまでも燃えてるってお父さん仰ったわ。ほんとうにあの火それだわ。」

「そうだ。見たまえ。そこらの三角標はちょうどさそりの形にならんでいるよ。」⑱

ジョバンニはまったくその大きな火の向うに三つの三角標がちょうどさそりの腕のようにこっちに五つの三角標がさそりの尾やかぎのようにならんでいるのを見ました。そしてほんとうにそのまっ赤なうつくしいさそりの火は音なくあかるくあかるく燃えたのです。

その火がだんだんうしろの方になるにつれてみんなは何とも云えずにぎやかなさまざまの楽の音や草花の匂のようなもの口笛や人々のざわざわ云う声やらを聞きました。それはもうじきちかくに町か何かがあってそこにお祭でもあるというような気がするのでした。

「ケンタウル露をふらせ。」いきなりいままで睡っていたジョバンニのとなりの男の子が向うの窓を見ながら叫んでいました。

ああそこにはクリスマストリイのようにまっ青な唐檜かもみの木がたってその中にはたくさんのたくさんの豆電燈がまるで千の蛍でも集ったようについていました。

「ああ、そうだ、今夜ケンタウル祭だねえ。」

「ああ、ここはケンタウルの村だよ。」カムパネルラがすぐ云いました。

「ボール投げなら僕決してはずさない。」

男の子が大威張りで云いました。
「もうじきサウザンクロスです。おりる支度をして下さい。」青年がみんなに云いました。
「僕　も少し汽車へ乗ってるんだよ。」男の子が云いました。カムパネルラのとなりの女の子はそわそわ立って支度をはじめましたけれどもやっぱりジョバンニたちとわかれたくないようなようすでした。
「ここでおりなけぁいけないのです。」青年はきちっと口を結んで男の子を見おろしながら云いました。
「厭だい。僕もう少し汽車へ乗ってから行くんだい。」
　ジョバンニがこらえ兼ねて云いました。
「僕たちと一緒に乗って行こう。僕たちどこまでだって行ける切符持ってるんだ。」
「だけどあたしたちもうここで降りなけぁいけないのよ。ここ天上へ行くとこなんだから。」女の子がさびしそうに云いました。
「天上へなんか行かなくたっていいじゃないか。ぼくたちここで天上よりももっといいとこをこさえなけぁいけないって僕の先生が云ったよ。」
「だっておっ母さんも行ってらっしゃるしそれに神さまが仰っしゃるんだわ。」
「そんな神さまうその神さまだい。」
「あなたの神さまうその神さまよ。」
「そうじゃないよ。」
「あなたの神さまってどんな神さまですか。」青年は笑いながら云いました。
「ぼくほんとうはよく知りません、けれどもそんなんでなしにほんとうのたった一人の神さまです。」
「ほんとうの神さまはもちろんたった一人です。」
「ああ、そんなんでなしにたったひとりのほんとうのほんとうの神さまです。」
「だからそうじゃありませんか。わたくしはあなた方がいまにそのほんとうの神さまの前にわたくしたちとお会いになることを祈ります。」青年はつつましく両手を組みました。女の子もちょうどその通りにしました。みんなほんとうに別れが惜しそうでその顔いろも少し青ざめて見えました。ジョバンニはあぶなく声をあげて泣き出そうとしました。
「さあもう支度はいいんですか。じきサウザンクロスですから。」
　ああそのときでした。見えない天の川のずうっと川下に青や橙やもうあらゆる光でちりばめられた十字架がまるで一本の木という風に川の中から立ってかがやきその上には青じろい雲がまるい環になって後光のようにかかっているのでした。汽車の中がまるでざわざわしました。みんなあの北の十字のときのようにまっすぐに立ってお祈りをはじめました。あっちにもこっちにも子供が瓜に飛びついたときのようなよろこびの声や何とも云いようない深いつつましいためいきの音ばかりきこえました。そしてだんだん十字架は窓の正面になりあの苹果の肉のような青じろい環の雲もゆるやかにゆるやかに繞っているのが見えました。
「ハルレヤハルレヤ。」明るくたのしくみんなの声はひびきみんなはそのそらの遠くからつめたいそらの遠くからすきとおった何とも云えずさわやかなラッパの声をききました。ⓙ そしてたくさんのシグナルや電燈の灯のなかを汽車はだんだんゆるやかになりとうとう十字架のちょうどま向いに行ってすっかりとまりました。
「さあ、下りるんですよ。」青年は男の子の手をひきだんだん向うの出口の方へ歩き出しました。
「じゃさよなら。」女の子がふりかえって二人に云いました。
「さよなら。」ジョバンニはまるで泣き出したいのをこらえて怒ったようにぶっきり棒に云いました。女の子はいかにもつらそうに眼を大きくしても一度こっちをふりかえってそれからあとはもうだまって出て行ってしまいました。汽車の中はもう半分以上も空いてしまい俄かにがらんとしてさびしくなり風がいっぱいに吹き込みました。
　そして見ているとみんなはつつましく列を組んであの十字架の前の天の川のなぎさにひざまずいていました。そしてその見えない天の川の水をわたってひとりの神々しい白いきものの人が手をのばしてこっちへ来るのを二人は見ました。けれどもそのときはもう硝子の呼子は鳴らされ汽車はうごき出しと思ううちに銀いろの霧が川下の方からすうっと流れて来てもうそっちは何も見えなくなりました。ただたくさんのくるみの木が葉をさんさんと光らしてその霧の中に立ち黄金の円光をもった電気栗鼠が可愛い顔をその中からちらちらのぞいているだけでした。

　そのときすうっと霧がはれかかりました。どこかへ行く街道らしく小さな電燈の一列についた通りがありました。それはしばらく線路に沿って進んでいました。そして二人がそのあかしの前を通って行くときはその小さな豆いろの火はちょうど挨拶でもするようにぽかっと消え二人が過ぎて行くときまた点くのでした。
　ふりかえって見るとさっきの十字架はすっかり小さくなってしまいほんとうにもうそのまま胸にも吊されそうになり、さっきの女の子や青年たちがその前の白い渚にまだひざまずいているのかそれともどこか方角もわからないその天上へ行ったのかぼんやりして見分けられませんでした。
　ジョバンニはああと深く息しました。
「カムパネルラ、また僕たち二人きりになったねえ、どこまでもどこまでも一緒に行こう。僕はもうあのさそりのようにほんとうにみんなの幸のためならば僕のからだなんか百ぺん灼いてもかまわない。」
「うん。僕だってそうだ。」カムパネルラの眼にはきれいな涙がうかんでいました。
「けれどもほんとうのさいわいは一体何だろう。」ジョバンニが云いました。
「僕わからない。」カムパネルラがぼんやり云いました。
「僕たちしっかりやろうねえ。」ジョバンニが胸いっぱい新らしい力が湧くようにふうと息をしながら云いました。⑲
「あ、あすこ石炭袋だよ。そらの孔だよ。」カムパネルラが少しそっちを避けるようにしながら天の川のひととこを指さしました。ジョバンニはそっちを見てまるでぎくっとしてしまいました。天の川の一とこに大きなまっくらな孔がどほんとあいているのです。その底がどれほど深いかその奥に何があるかいくら眼をこすってのぞいてもなんにも見えずただ眼がしんしんと痛むのでした。
ジョバンニが云いました。
「僕もうあんな大きな暗の中だってこわくない。きっとみんなのほんとうのさいわいをさがしに行く。どこまでもどこまでも僕たち一緒に進んで行こう。」
「ああきっと行くよ。ああ、あすこの野原はなんてきれいだろう。みんな集ってるねえ。あすこがほんとうの天上なんだ。あっあすこにいるのぼくのお母さんだよ。」⑳　カムパネルラは俄かに窓の遠くに見えるきれいな野原を指して叫びました。

　ジョバンニもそっちを見ましたけれどもそこはぼんやり白くけむっているばかりどうしてもカムパネルラが云ったように思われませんでした。何とも云えずさびしい気がしてぼんやりそっちを見ていましたら向うの河岸に二本の電信ばしらが丁度両方から腕を組んだように赤い腕木をつらねて立っていました。
「カムパネルラ、僕たち一緒に行こうねえ。」ジョバンニが斯う云いながらふりかえって見ましたらそのいままでカムパネルラの座っていた席にもうカムパネルラの形は見えずただ黒いびろうどばかりひかっていました。ジョバンニはまるで鉄砲丸のように立ちあがりました。そして誰にも聞えないように窓の外へからだを乗り出して力いっぱいはげしく胸をうって叫びそれからもう咽喉いっぱい泣きだしました。もうそこらが一ぺんにまっくらになったように思いました。

　ジョバンニは眼をひらきました。もとの丘の草の中につかれてねむっていたのでした。胸は何だかおかしく熱り頬にはつめたい涙がながれていました。

　ジョバンニはばねのようにはね起きました。町はすっかりさっきの通りに下でたくさんの灯を綴ってはいましたがその光はなんだかさっきよりは熱したという風でした。そしてたったいま夢であるいた天の川もやっぱりさっきの通りに白くぼんやりかかりまっ黒な南の地平線の上では殊にけむったようになってその右には蠍座の赤い星がうつくしくきらめき、そらぜんたいの位置はそんなに変ってもいないようでした。

　ジョバンニは一さんに丘を走って下りました。まだ夕ごはんをたべないで待っているお母さんのことが胸いっぱいに思いだされたのです。どんどん黒い松の林の中を通ってそれからほの白い牧場の柵をまわってさっきの入口から暗い牛舎の前へまた来ました。そこには誰かがいま帰ったらしくさっきなかった一つの車が何かの樽を二つ乗っけて置いてありました。

「今晩は、」ジョバンニは叫びました。

「はい。」白い太いずぼんをはいた人がすぐ出て来て立ちました。

「何のご用ですか。」

「今日牛乳がぼくのところへ来なかったのですが」

「あ済みませんでした。」その人はすぐ奥へ行って一本の牛乳瓶をもって来てジョバンニに渡しながらまた云いました。

「ほんとうに、済みませんでした。今日はひるすぎうっかりしてこうしの柵をあけて置いたもんですから大将早速親牛のところへ行って半分ばかり呑んでしまいましてね……」その人はわらいました。

「そうですか。ではいただいて行きます。」

「ええ、どうも済みませんでした。」

「いいえ。」

　ジョバンニはまだ熱い乳の瓶を両方のてのひらで包むようにもって牧場の柵を出ました。

　そしてしばらく木のある町を通って大通りへ出てまたしばらく行きますとみちは十文字になってその右手の方、通りのはずれにさっきカムパネルラたちのあかりを流しに行った川へかかった大きな橋のやぐらが夜のそらにぼんやり立っていました。

　ところがその十字になった町かどや店の前に女たちが七八人ぐらいずつ集って橋の方を見ながら何かひそひそ談しているのです。それから橋の上にもいろいろなあかりがいっぱいなのでした。

　ジョバンニはなぜかさあっと胸が冷たくなったように思いました。そしていきなり近くの人たちへ

「何かあったんですか。」と叫ぶようにききました。

「こどもが水へ落ちたんですよ。」一人が云いますとその人たちは一斉にジョ

バンニの方を見ました。ジョバンニはまるで夢中で橋の方へ走りました。橋の上は人でいっぱいで河が見えませんでした。白い服を着た巡査も出ていました。

ジョバンニは橋の袂から飛ぶように下の広い河原へおりました。

その河原の水際に沿ってたくさんのあかりがせわしくのぼったり下ったりしていました。向う岸の暗いどてにも火が七つ八つうごいていました。そのまん中をもう烏瓜のあかりもない川が、わずかに音をたてて灰いろにしずかに流れていたのでした。

河原のいちばん下流の方へ州のようになって出たところに人の集りがくっきりまっ黒に立っていました。ジョバンニはどんどんそっちへ走りました。するとジョバンニはいきなりさっきカムパネルラといっしょだったマルソに会いました。マルソがジョバンニに走り寄ってきました。

「ジョバンニ、カムパネルラが川へはいったよ。」

「どうして、いつ。」

「ザネリがね、舟の上から烏うりのあかりを水の流れる方へ押してやろうとしたんだ。そのとき舟がゆれたもんだから水へ落っこったろう。するとカムパネルラがすぐ飛びこんだんだ。そしてザネリを舟の方へ押してよこした。ザネリはカトウにつかまった。けれどもあとカムパネルラが見えないんだ。」

「みんな探してるんだろう。」

「ああすぐみんな来た。カムパネルラのお父さんも来た。けれども見附からないんだ。ザネリはうちへ連れられてった。」

ジョバンニはみんなの居るそっちの方へ行きました。そこに学生たち町の人たちに囲まれて青じろい尖ったあごをしたカムパネルラのお父さんが黒い服を着てまっすぐに立って右手に持った時計をじっと見つめていたのです。

みんなもじっと河を見ていました。誰も一言も物を云う人もありませんでした。ジョバンニはわくわくわくわく足がふるえました。魚をとるときのアセチレンランプがたくさんせわしく行ったり来たりして黒い川の水はちらちら小さな波をたてて流れているのが見えるのでした。

下流の方は川はば一ぱい銀河が巨きく写ってまるで水のないそのままのそら

のように見えました。

ジョバンニはそのカムパネルラはもうあの銀河のはずれにしかいないというような気がしてしかたなかったのです。

けれどもみんなはまだ、どこかの波の間から、

「ぼくずいぶん泳いだぞ。」と云いながらカムパネルラが出て来るか或いはカムパネルラがどこかの人の知らない洲にでも着いて立っていて誰かの来るのを待っているかというような気がして仕方ないらしいのでした。けれども俄かにカムパネルラのお父さんがきっぱり云いました。

「もう駄目です。落ちてから四十五分たちましたから。」㉑-1

ジョバンニは思わずかけよって博士の前に立って、ぼくはカムパネルラの行った方を知っていますぼくはカムパネルラといっしょに歩いていたのですと云おうとしましたがもうのどがつまって何とも云えませんでした。すると博士はジョバンニが挨拶に来たとでも思ったものですか、しばらくしげしげジョバンニを見ていましたが

「あなたはジョバンニさんでしたね。どうも今晩はありがとう。」と叮ねいに云いました。

ジョバンニは何も云えずにただおじぎをしました。

「あなたのお父さんはもう帰っていますか。」博士は堅く時計を握ったまままたききました。

「いいえ。」ジョバンニはかすかに頭をふりました。

「どうしたのかなあ。ぼくには一昨日大へん元気な便りがあったんだが。今日あたりもう着くころなんだが。船が遅れたんだな。ジョバンニさん。あした放課後みなさんとうちへ遊びに来てくださいね。」

そう云いながら博士はまた川下の銀河のいっぱいにうつった方へじっと眼を送りました。㉑-2

ジョバンニはもういろいろなことで胸がいっぱいでなんにも云えずに博士の前をはなれて早くお母さんに牛乳を持って行ってお父さんの帰ることを知らせようと思うともう一目散に河原を街の方へ走りました。

＜文献＞

（1）「実験で楽しむ宮沢賢治の世界『銀河鉄道の夜』を中心に」
報告 池上理恵「静岡自然を学ぶ会120号」2018.12.20

（2）『銀河鉄道の夜』青空文庫 http://www.aozora.gr.jp

（3）「銀河鉄道の夜」（初期型第三次稿）『ポラーノの広場』 新潮文庫 p376

（4）『賢治がみつめた石と星』 平塚市博物館 p89

（5）『宮沢賢治 科学の世界 教材絵図の研究』筑摩書房 p4

（6）授業書「宇宙への道」仮説実験授業研究会 仮説社

（7）『宮沢賢治 星の図誌』 斎藤文一 平凡社 p68

（8）圧電効果による石英の発光の実験 愛知大学西本ゼミ
https://nisimoto.wordpress.com/2016/10/17/圧電効果

（9）宮沢賢治「銀河鉄道の夜」の深層世界を探訪する廣瀬正明
oryzajpn.com/archives/2131879.html

（10）『化学本論』片山正夫 内田老鶴圃 昭和4年第十版 p42

（11）「陰極線の盲あかり」力丸光雄『写真集宮沢賢治の世界』
筑摩書房 p120

（12）平成30年度版宮沢賢治詩碑 原子内貢 イーハトーブ団栗団企画 p69

（13）『アインシュタイン神を語る』ウィリアム ヘルマンス 工作舎 p19

（14）宮沢賢治の好きな讃美歌「主よみもとにちかづかん」について
佐藤泰平 宮沢賢治学会イーハトーブセンター会報第58号 p4

（15）「ビーカーの中の銀河」板谷英紀『別冊太陽』平凡社 p50

（16）『宮澤賢治と化学』 板谷英紀 裳華房 p40

（17）「暗闇で怪しく光るモノ」小林眞理子『たのしい授業』2004.4 仮説社

（18）新校本『宮沢賢治全集 第十五巻』筑摩書房 p406

（19）『宮沢賢治の音楽』佐藤泰平 筑摩書房 p73

（20）「讃美歌『いつくしみ深き』の作詞年」 城俊幸 西南学院大学大学院論集 p37

（21）ＣＤ『宮沢賢治と音楽』ＣＤⅦ賢治・清六とレコード6.「Nearer My Good to THee」編集・解説 佐藤泰平 パンプオルガンの会

（22）『実験で楽しむ宮沢賢治「賢治が描いたサイエンス・ファンタジー」』
四ヶ浦 弘 仮説社 p13、83～85

著者：四ヶ浦　弘（SHIKAURA　HIROSHI）
<金沢・金の科学館>代表
金沢高等学校・石川県立大学非常勤講師
科学教育研究協議会、仮説実験授業研究会会員
東京都立大学卒業
金沢大学大学院自然科学研究科
地球環境科学専攻博士後期課程修了　理学博士

金沢高等学校で長年理科の教師を務める傍ら、金沢の砂金の他、特産の金、真ちゅう、白金、銀等の箔を使った実験の開発や研究に高校生と共に取り組んできました。<金沢・金の科学館>は、これらの実験やものつくりを楽しむ<移動実験科学館>です。その活動に宮沢賢治の科学が加わり、皆さんとその世界を楽しんでいます。

挿絵：

HISA（HIRATA　HISAKO）カラー挿絵担当

絵描き。金沢にアトリエHISA「石ころりと葉っぱちゃん」があります。各地でHISA展を開催し、独自の画法、パステルとクレヨンを使った即興絵本作り「こころとびだす絵本」作りを伝えています。

https://www.hisako-hirata.com/

勝山陽子（KATUYAMA　YOUKO）　白黒挿絵担当

「静岡自然を学ぶ会」会員。静岡聖光学院 美術非常勤講師。

細川理衣（HOSOKAWA　RIE）51ページ挿絵担当

「ものがたり」のあるものをテーマとして絵、その他の制作に取り組んでいます。幼い頃より絵を描くことが好きでしたが、2005年にガラスペンと出会い、独学でガラスペンとインクを用いた絵を描き始めるようになりました。2005年より金沢を拠点に制作活動を続けています。県内外の展覧会で発表を多数行う他、イラスト、挿絵、絵本も手掛けています。

「銀河鉄道の夜」第4稿は、インターネット図書館、青空文庫（http://www.aozora.gr.jp/）から転載させて頂きました。ここから本文中に引用した場合は青字で表記し、該当箇所を（p○○）と記載しました。それ以外の賢治の作品からの引用部分は黒字で記載しました。

実験で楽しむ宮沢賢治

「銀河鉄道の夜」

改訂版（実験動画 QR コード付）

2020 年 9 月 5 日　新版発行

2021 年 12 月 29 日　改訂 3 版発行

著者：四ヶ浦弘

絵：HISA　勝山陽子　細川理衣

実験撮影：四ヶ浦弘

印刷・製本：株式会社　RED　TRAIN

金沢・金の科学館
Office:〒921-8112
金沢市長坂1-12-4
E-mail:shecowx@outlook.jp
Facebook:Hirosi Sikaura　代表　四ヶ浦　弘

発売：株式会社 仮説社

〒170-0002 東京都豊島区巣鴨 1-14-5

www.kasetu.co.jp